As *queridinhas* do meu marido

As *queridinhas* do meu marido

Bridget Asher

Tradução de Anna Lim

Título original em inglês: *My husband's sweethearts*
Copyright © 2008 Bridget Asher. Todos os direitos reservados.
Esta tradução é publicada mediante acordo com The Bantam Dell
Publishing Group, uma divisão de Random House, Inc.

Amarilys é um selo editorial Manole.

Este livro contempla as regras do Acordo Ortográfico de 1990, que entrou em vigor no Brasil.

Capa
Jamie S. Warren

Imagens da capa
Jarvis Gray, Yuganov Konstantin, Terekhov Igor, Kitti e Skeletoriad/Shutterstock

Dados Internacionais de Catalogação na Publicação (CIP)
(Câmara Brasileira do Livro, SP, Brasil)

Asher, Bridget
    As queridinhas do meu marido / Bridget Asher; tradução Anna Lim. — Barueri, SP: Manole, 2010.
    Título original: *My husband's sweethearts*.
    ISBN 978-85-204-2891-7
    1. Ficção norte-americana I. Título

09-09972   CDD-813

Índices para catálogo sistemático:
    1. Ficção: literatura norte-americana 813

Todos os direitos reservados.
Nenhuma parte deste livro poderá ser reproduzida, por qualquer processo, sem a permissão expressa dos editores.
É proibida a reprodução por xerox.

A Editora Manole é filiada à ABDR – Associação Brasileira de Direitos Reprográficos.

1ª edição brasileira – 2010

Direitos em língua portuguesa adquiridos pela:
Editora Manole Ltda.
Av. Ceci, 672 – Tamboré
06460-120 – Barueri – SP – Brasil
Tel. (11) 4196-6000 – Fax (11) 4196-6021
www.manole.com.br / www.amarilyseditora.com.br
info@amarilyseditora.com.br

Impresso no Brasil
Printed in Brazil

Para Davi, meu querido.

Capítulo 1

NÃO TENTE DEFINIR O AMOR, A MENOS QUE VOCÊ PRECISE DE UMA LIÇÃO DE INUTILIDADE

Enquanto passamos atabalhoadamente por entre os balcões das companhias aéreas em direção ao *check-in*, explico o amor e suas várias formas de fracasso a Lindsay, minha assistente. Em meio à multidão de viajantes — aposentados de bermuda, gatos em caixas de transporte, engravatados estressados — me pego fazendo um grande discurso sobre o amor, com uma dose generosa de racionalizações. Me apaixonei por trapaceiros adoráveis. Idolatrei os homens errados pelas razões erradas. Tudo culpa minha. Sofri de um coração indomável e de acessos prolongados de falta de bom senso. Careci de algumas coisas básicas em matéria de controle. Por exemplo, não tive controle nenhum sobre o fato de me apaixonar por Artie Shoreman, um homem dezoito anos mais velho que eu. E também não tenho controle sobre o fato de ainda o amar, mesmo depois de ter descoberto, de uma tacada só, que ele teve três casos durante os quatro anos em que estivemos casados. Dois deles com namoradas anteriores ao nosso casamento, mas com quem ele manteve contato, na verdade a quem ele se apegou, como se fossem presentes de despedida de sua solteirice, suvenires vivos. Artie não admitia chamá-los de *casos* por considerá-los atos impulsivos, algo não *premeditado*, e despejava termos como *aventura, escapada*. O terceiro caso, ele considerava *acidental*.

E não tenho controle sobre o fato de estar furiosa por Artie ter ficado tão doente, tão moribundo, no meio disso tudo e de culpá-lo por sua veia dramática. Não tenho controle sobre a compulsão que sinto de voltar para ele imediatamente, deixando pra lá uma palestra sobre as normas da SEC[1], porque minha mãe me ligou no meio da noite contando que o estado de saúde dele é grave. Não tenho controle sobre o fato de ainda estar furiosa por ele ter me traído num momento em que se esperaria que eu amolecesse, pelo menos um pouquinho.

Conto a Lindsay como deixei esse homem logo após descobrir seus casos porque essa tinha sido a coisa certa a fazer seis meses atrás e como todos os três casos me foram revelados de uma vez, como num programa de TV sensacionalista.

Lindsay é pequena. As mangas de seu blazer estão sempre um pouco longas demais, como se ela usasse as roupas herdadas da irmã mais velha, cujo tamanho ela ainda não alcançou. Seus cabelos loiros sedosos balançam como num comercial de xampu, e ela usa pequenos óculos que escorregam por um nariz tão perfeito e estreito que não sei de que forma ela consegue respirar. É como se seu nariz tivesse sido projetado para ser um acessório, sem nenhum compromisso com a funcionalidade. Ela conhece a história toda, claro, e balança a cabeça aquiescendo. Continuo.

Digo a ela que não foi tão ruim ter escolhido fazer sucessivas viagens de negócios, ficando meses entocada em um cliente, depois em outro, em todas as oportunidades que apareciam — uma vida de *flats* e quartos de hotel. A ideia era me dar um tempo e um pouco de espaço para juntar os pedaços do meu coração,

---

[1] N.T.: Securities and Exchange Comission — Comissão de Títulos e Câmbio dos EUA.

de modo que, quando eu encontrasse Artie novamente, eu estivesse preparada, mas não estou.

— O amor não pode ser comandado nem dirigido por uma democracia legal — afirmo a Lindsay. Minha definição de democracia consiste em pedir a opinião das duas únicas pessoas em quem decidi confiar, minha assistente com propensão à ansiedade, Lindsay, que neste momento me acompanha pelo terminal do aeroporto JFK, e minha mãe hiperzelosa, que tem meu número no atalho de discagem rápida do celular.

— O amor se recusa a negociar — declaro. — Ele não barganha com você como aquele turco das bolsas Gucci falsificadas.

Minha mãe insiste que eu lhe compre uma dessas bolsas toda vez que estou em Nova York a trabalho; e neste momento minha bagagem de mão está explodindo com Guccis falsas.

— O amor não é lógico — insisto. — É imune à lógica.

No meu caso a lógica seria: meu marido é infiel e mentiroso, portanto o que eu deveria fazer seria seguir em frente com a minha vida ou perdoá-lo, uma opção que, segundo ouvi dizer, algumas mulheres escolhem em situações como esta.

Lindsay diz apenas:

— Claro, Lucy. Sem a menor dúvida!

Há algo em seu tom confiante que me irrita. Ela costuma ser positiva demais, e algumas vezes seu elevado contrato de salário me faz parar para pensar duas vezes. Tento continuar com o discurso:

— Tenho, contudo, que assumir meus erros, inclusive os que herdei da minha mãe.

Minha mãe — a rainha da escolha errada em matéria de homens. E me vem à mente uma imagem dela num agasalho de corrida aveludado, sorrindo para mim com uma mistura de orgulho esperançoso e dó. "Tenho que assumir meus erros porque eles fizeram de mim o que sou. E sou alguém de quem com o tempo vim a gostar, exceto quando me enrolo pedindo acompanhamen-

3

tos elaborados em restaurantes de *sushi*, quando então sei que sou totalmente autoritária."

— Verdade — concorda Lindsay um pouco depressa demais.

Paro então no meio do aeroporto fazendo meu *notebook* dar um tranco para a frente e as rodinhas da minha bagagem de mão freiarem rapidamente (só coloquei o essencial na mala; Lindsay vai me enviar o resto depois).

— Não estou pronta para vê-lo — digo.

— Artie precisa de você — retrucou minha mãe no telefone na noite anterior. — Ele ainda é seu marido, apesar de tudo. E é muito feio abandonar um marido que está prestes a morrer, Lucy.

Essa foi a primeira vez que alguém disse que Artie vai morrer, em voz alta e pragmaticamente. Até o momento parecia sério, claro, mas ele ainda é novo, apenas cinquenta anos de idade. Ele vem de uma longa linhagem de homens que morreram jovens, é verdade, mas isso não quer dizer nada, não com os atuais avanços da medicina.

— Ele está sendo dramático — devolvi, tentando voltar para o roteiro original, aquele em que fazemos piadas sobre as tentativas patéticas de Artie de me reconquistar.

— Mas e se ele não estiver sendo dramático? — perguntou ela. — Você precisa estar aqui. Ficar ausente neste momento pode ser carma ruim. Você pode reencarnar como um besouro.

— E desde quando você entende de carma? — eu quis saber.

— Estou saindo com um budista agora — foi a resposta de minha mãe — Não contei para você?

Lindsay agarra meu cotovelo.

— Você está bem?

— Minha mãe está saindo com um budista — digo, como se isso explicasse o quanto tudo parece horrivelmente errado. Meus olhos se enchem de lágrimas, deixando a sinalização do aeroporto embaçada. — Tome aqui — passo a ela minha carteira. — Não vou conseguir encontrar meu documento de identidade.

Ela me leva até os telefones públicos perto do elevador e começa a vasculhar minha bolsa. Não consigo mexer nela no momento. Não posso porque sei o que há dentro dela — todos os cartõezinhos que retirei dos envelopes que vinham presos por garfinhos verdes de plástico às flores que eu recebia diariamente e que Artie encomendava à distância. Ele me encontrava onde quer que eu estivesse dentro dos Estados Unidos, não importa em que quarto de hotel ou *flat*. (Como ele sabia onde eu estava? Quem passava a ele meu itinerário? Minha mãe? Sempre suspeitei dela, mas nunca pedi que ela parasse. Secretamente, eu gosto que Artie saiba onde estou. Secretamente, eu necessito das flores, mesmo que parte de mim as odeie — e a ele também.)

— Que bom que você os guardou — diz Lindsay. Ela esteve comigo em meus quartos de hotéis e viu todos os buquês de flores irem se acumulando em vários estágios de envelhecimento. Ela me entrega então minha carteira de motorista.

— Eu gostaria de não tê-los guardado. Tenho certeza de que é um sinal de fraqueza — comento.

Ela tira um e diz:

— Eu sempre quis saber o que ele tinha a dizer em todos esses cartões.

Subitamente não quero entrar na fila do raio-x com um bando de estranhos. A fila é longa, mas ainda tenho muito tempo — tempo demais até. Na verdade, eu sei que vou ficar inquieta do outro lado, sentindo-me um pouco aprisionada, como um daqueles gatos nas caixas de transporte. Não quero ficar sozinha.

— Pode ler.

— Tem certeza? — ela levanta a sobrancelha fina.

Penso mais um momento. Na verdade, eu não quero ouvir os bilhetes de amor do Artie. Parte de mim quer desesperadamente arrancar a carteira das mãos dela, dizer "Desculpe, mudei de ideia" e entrar na fila com o resto das pessoas. Mas uma outra parte quer que ela leia os cartões para ver se eles são tão manipuladores quanto eu acho que são. Acredito que é disso que preciso agora, um pouco de validação feminina.

— Sim — respondo.

Lindsay tira um dos cartões e lê em voz alta:

— Número quarenta e sete: o seu jeito de achar que toda sala de jantar deveria ter um sofá em que as pessoas pudessem deitar para fazer a digestão e ainda continuar participando da conversa — ela olha rapidamente para mim.

— Eu gosto de deitar depois de comer, como os egípcios ou algo assim. O sofá na sala de jantar faz o maior sentido.

— Você tem um?

— Artie me deu um no nosso primeiro aniversário.

Eu não quero pensar nisso agora, mas lá está ele na minha cabeça, um longo sofá antigo revestido com um tecido de papoulas vermelhas em um fundo branco e a estrutura de madeira escura combinando com a mobília da sala de jantar. Transamos nele naquela primeira noite na casa, as almofadas volumosas escorregando debaixo de nós e caindo no chão, e as molas gastas rangendo.

Ela tira um outro e lê:

— Número cinquenta e dois: como as sardas em seu colo podem ser ligadas de modo a formar uma constelação que lembra a imagem de Elvis.

Uma tripulação de comissárias de bordo passa por nós no que parece ser uma formação em V de gansos migratórios. Algumas das antigas namoradas de Artie eram comissárias de bordo. Ele ganhou sua fortuna ao abrir um restaurante italiano quando tinha cerca de trinta anos (apesar de não possuir qualquer traço de sangue italiano) e depois o transformou em uma rede nacional. Ele viajava bastante e havia muitas comissárias de bordo. Observo-as desfilando em suas meias de náilon, as rodinhas das malas fazendo barulho pelo chão. Meu estômago se aperta por um instante.

— Ele fez isso uma vez, ligou as sardas e documentou. Temos fotos.

Espero uma demonstração de indignação por parte de Lindsay, mas parece que não vai ser o caso. Na verdade, reparo que ela sorri um pouco.

Ela tira um terceiro bilhete.

— Número cinquenta e cinco: o modo como você teme que perdoar seu pai, de uma vez por todas, possa fazê-lo realmente desaparecer de alguma forma, mesmo ele já estando morto há muitos anos.

Lindsay ergue as sobrancelhas novamente.

— Artie é um ótimo ouvinte. Ele se lembra de tudo. O que posso dizer? Não quer dizer que eu deva perdoá-lo e voltar para casa.

Eis uma das razões pelas quais eu odeio o Artie. Ele é tão completamente ele mesmo, independente, mas, quando perguntei por que ele havia me traído, recebi uma resposta batida, cansada. Ele se apaixonava constantemente. Pensou que conseguiria parar quando nos casamos, mas não conseguiu. Ele confessou que se apaixonava o tempo todo, todo dia, o dia todo, que ele adorava tudo nas mulheres, a maneira como gingam quando caminham, seus pescoços lindos, ele ama até suas imperfeições. E então ele se envolvia. Elas lhe faziam confidências, de repente estavam lhe contando tudo e no momento seguinte já estavam desabotoando a blusa. Ele me disse que se detestava, claro, e que não queria me magoar. Ao mesmo tempo, ele amava as mulheres com quem teve casos — todas, de diversas maneiras, por razões diferentes. Mas ele não queria passar a vida com elas e sim comigo. Eu odeio Artie por me trair, claro, mas creio que o odeio ainda mais por me colocar no meio de um clichê tão embaraçoso.

Eu estava decepcionada demais para reagir, brava demais para fazer qualquer outra coisa senão partir.

— Você acha que ele vai ficar bem? — pergunta Lindsay referindo-se à saúde dele.

— Tudo bem, eu sei — digo. — Eu sei que uma pessoa boa iria para casa e o perdoaria porque ele está muito doente. Uma pessoa boa provavelmente teria aguentado firme e tentado resolver a situação cara a cara, de um jeito ou de outro, e não apenas fugindo pelo país como eu. Eu sei.

Estou começando a ficar sentimental. Paro um momento para secar as lágrimas dos olhos e limpo um borrão de rímel. Por que é que eu fui me maquiar? Percebo então que estou vestida totalmente em desacordo. Estou usando um traje profissional, calça bege, sapatos caros, um *blazer*. O que eu tinha na cabeça? Lembro-me de estar me vestindo enquanto fazia a mala às pressas. Agia no piloto automático, trombando nas coisas no meu quarto de hotel em meio às flores murchas. Trabalho como auditora, sou sócia em uma firma na verdade e me visto de acordo, mesmo agora quando eu não deveria. Pode acreditar, tenho consciência da ironia que é isso, já que meu trabalho é saber quando alguém está trapaceando, e eu não consegui perceber as infidelidades de Artie durante tanto tempo.

— Eu deveria reconhecer prontamente uma farsa. É o meu trabalho, Lindsay. Como não consegui ver?

— Bem, ele de fato não estava tendo muita cautela com a possibilidade de ser descoberto — Lindsay sorri, tentando me animar. Ela assistiu recentemente a uma palestra sobre o risco de um flagrante e agora está toda convencida. — Você vai resolver isso, Lucy. Você sempre resolve tudo. É o que você faz de melhor.

— No trabalho — digo. — Mas minha história pessoal não é exatamente assim. Dois mundos diferentes.

Lindsay olha ao redor do aeroporto como se estivesse um pouco atordoada; a confusão está evidente em seu rosto, como se pela primeira vez na vida estivesse ouvindo que existem dois mundos diferentes; é um momento além da imaginação. Venho preparando-a para subir na carreira. Ela vai assumir o trabalho enquanto eu estiver ausente e terá que desenvolver sua dureza se quiser sobreviver. Já lhe disse para tentar não demonstrar suas emoções tão prontamente. Eu lhe faria uma pequena preleção sobre isso, mas não sou exatamente um modelo de disciplina emocional neste momento.

— Você acha que eu deveria perdoá-lo, não é? Que eu deveria voltar para casa e nós dois deveríamos tentar resolver tudo, não é mesmo?

Ela não sabe bem ao certo o que dizer, então olha para os lados e enfim desiste e faz que sim com a cabeça.

— Porque ele merece ou porque ele está doente?

Ela muda de atitude.

— Não tenho certeza se é a decisão correta ou não, mas, enfim, é porque nunca tive um namorado que conseguisse me dar mais do que três ou quatro razões pelas quais ele me amava. Não que eu tenha pedido uma lista ou algo assim, mas você sabe o que eu quero dizer. Porque Artie ama você desse jeito.

Artie me ama desse jeito — isso parece verdade neste instante, como se ela tivesse arrancado a capa de todos os gestos que encarei como manipulação e os visto puramente como manifestações do amor dele por mim. Essa forma de ver as coisas me choca, a nudez de tudo. Não sei bem como responder.

— Tenho certeza de que você vai dar conta do recado enquanto eu estiver fora — digo a ela. — Eu sei que você é capaz.

Ela foi pega de surpresa; ruboriza — novamente algo que ela não deveria fazer, mas nesse caso fico feliz por presenciar. Ela inclina levemente o corpo como que dizendo "Obrigada pelo voto de confiança" e me entrega a carteira olhando para minha bagagem.

— Está com tudo aí?
— Vou ficar bem.

— Tudo bem, então.

Lindsay se vira e se afasta misturando-se na multidão. Ela é toda profissional agora, queixo erguido, braços balançando firmes. Estou orgulhosa.

Nesse momento, o elevador faz um *plim* agudo e eu penso no bilhete número cinquenta e sete de Artie, o que chegou hoje pela manhã e que está me consumido desde então: o modo como você ama o som de uma campainha de elevador, que certa vez você disse ser como uma pequena nota de esperança, a ideia de que as coisas estão prestes a mudar, de que você finalmente vai chegar a algum lugar e começar de novo.

O único problema é que não gosto de elevadores. Sempre os vi como caixinhas de morte móveis; o *plim* me soa no máximo como um aviso de morte horrivelmente alegre. Eles sempre me fizeram sentir claustrofobia, além do mais não sou muito chegada a mudanças — como, por exemplo, descobrir que meu marido está me traindo — e, apesar de todas as viagens recentes, nunca de fato senti que estivesse enfim indo para algum lugar e começando de novo. *Uma notinha de esperança?* Nunca disse nada disso. O número cinquenta e sete não é meu. Pertence a alguma outra mulher. O número cinquenta e sete pertence a alguma outra mulher, assim como minha vida agora — minha vida profissional, minha vida pessoal — parece pertencer a alguma outra mulher.

Uma senhora idosa em cadeira de rodas é conduzida para fora do elevador por um jovem — seu filho talvez? Eles seguem em frente, e as portas de aço inoxidável se fecham. Vejo meu reflexo como uma imagem escura e imprecisa e sinto que sou aquela outra mulher. Por mais errada que pareça, essa vida é minha.

Capítulo 2

DESCONHECIDOS FELIZES CONSEGUEM TRAZER À TONA O PIOR DAS PESSOAS

Assim que boto o pé no avião, faço sinal chamando a comissária de bordo. Ela usa um batom tão vermelho e brilhante que a faz parecer suspeita, especialmente de perto.

— Vou precisar de um gim-tônica já — sussurro. — Estou aqui no 4A.

Ela sorri e me dá uma piscadela.

Já decidi que vou beber durante o voo todo antes mesmo de ver a mulher ao lado de quem vou me sentar. Ela tem a idade da minha mãe, espevitada, queimada de sol e sorridente demais. Tento não cruzar seu olhar.

Eu costumava ser uma pessoa legal, juro. Dizia "Desculpe" e "Não, você primeiro". Sorria para estranhos. Jogava conversa fora com entusiasmados vizinhos de poltrona. Mas agora não. Não, obrigada. Não estou interessada na alegria dos outros. Isso me ofende. Quando olho para essa mulher, penso em fingir ser estrangeira. Eu poderia soltar um "No english" supermeigo. Mas vejo que ela é do tipo capaz de passar à força por cima de diferenças culturais como essa — fazendo mímica e desenhando figuras — para conseguir criar um vínculo. Ela parece um misto de bom humor e modéstia. Além disso, já me revelei americana (uma americana desesperada) falando com a comissária de bordo, que afinal é quem está no comando do álcool, e, portanto, quero manter essa relação em bons termos.

Enquanto luto para colocar minha mala lotada no compartimento de bagagem, a mulher dispara:

— É minha primeira vez!

Não tenho muita certeza de como entender essa manifestação. De qualquer maneira, soa pessoal demais.

— Desculpe? — digo, fingindo não tê-la ouvido claramente e esperando que uma pequena barreira de comunicação lhe dê tempo de mudar de ideia quanto a revelar coisas a estranhos em aviões.

Ela grita, achando que eu talvez seja um pouco surda:

— Minha primeira vez! Na classe executiva!

— Parabéns.

Felicito-a, sem ter certeza se essa foi a resposta apropriada. Mas qual seria? Que bom pra você? Fico de pé no corredor, esperando que ela se levante. Mas pelo jeito ela parece não querer abandonar seu lugar nem por um segundo, como se alguém pudesse tomar-lhe esse privilégio. Tenho que passar por cima dela para chegar ao meu assento na janela. Decido então passar com meu traseiro bem na cara dela — talvez um pouco de agressão passiva seja necessário.

Não adianta, ela continua falando:

— Meu filho me deu essa passagem na executiva. "Quem precisa viajar na classe executiva para ir de Nova York à Filadélfia?", eu disse a ele, mas ele nem me deu ouvidos. Ele é importante assim.

Tenho quase certeza de que eu deveria dizer "Oh, e o que ele faz?", mas ignoro a minha deixa. Levanto para ver se a comissária notou o desespero em minha voz e se está preparando minha bebida. Não a vejo, e isso me abala. Olho pela janela para a equipe de solo e morro de inveja dos protetores auriculares contra os ruídos dos motores.

A mulher está me encarando. Posso sentir, e sei também, de cara, que ela é do tipo que minha mãe desaprova — do tipo que não usa maquiagem, não pinta o cabelo ou frequenta academia de ginástica. Minha mãe a chamaria de "desistente", supondo que ela algum dia tenha feito tudo isso, o que pode ou não ser verdade. Mas minha mãe supõe que todas as desistentes abandonaram a luta.

— Que luta? — perguntei certa vez.

— A luta contra a idade, contra aparentar a idade que tem.

Minha mãe está sempre completamente produzida, quase sempre num agasalho de corrida aveludado — que eu chamo de traje de gala dos agasalhos —, penteada e maquiada em excesso. Ela parece usar tanta maquiagem atualmente que a intenção já não é mais tentar parecer um pouco mais atraente, e sim desorientar as pessoas enquanto ela se esconde por trás dos cosméticos. Não sei se essa é uma luta de que eu queira participar, francamente. E eu quase chego a simpatizar com a mulher ao meu lado por ela não se importar muito com o que as pessoas pensam dela. Ela não abandonou a luta, apenas se posicionou acima dela. Mas minha simpatia não dura muito.

— Você é uma dessas poderosas mulheres de negócios de que se fala hoje em dia? — pergunta ela então.

"Quem fala?", fico pensando. Me inclino na direção dela conspiratoriamente.

— Eu não sou um *homem* de negócios — admito.

Ela acha engraçadíssimo e ergue a cabeça rindo para os dutos de ar condicionado no teto. Mas logo se recompõe e dispara a próxima pergunta:

— Você provavelmente é parte de um desses casais poderosos que têm um bebê aprendendo Mozart. Já ouviu falar dos bebês gênios desses casais poderosos, certo? — sua pergunta soa como um *game show*.

— Desculpe — digo. — Não tenho um bebê, aliás nem tenho filhos, gênios ou não.

Essa é uma velha ferida. Artie e eu começamos a falar sobre ter uma família. Tínhamos começado a redesenhar os quartos para incluir um para o bebê. Adquirimos o hábito de interromper nossas conversas para dizer "Espere, esse pode ser um bom nome de criança". Os nomes eram sempre ridículos — Faminto, Valsa; por que Natanael e não Neandertal? Seguindo a onda de colocar nomes de lugares nos filhos (Londres, Paris, Montana), estávamos compilando a nossa própria lista: Düsseldorf, Antuérpia, Hackensack. Artie havia acabado de vender outro lote de ações da sua rede de restaurantes italianos e tinha contratado um tipo jovem, durão e futuro-magnata para aliviar um pouco a pressão. Nossas vidas estavam se acalmando, e decidimos começar a tentar ter filhos. Eu detestava o termo *tentar*, como se fôssemos dois corpos se batendo às cegas. Isso implica uma certa incompetência sexual e esse nunca foi um problema para Artie. E daí, apenas dois meses depois, interceptei um *e-mail* de uma mulher com o apelido de "Springbird". Springbird! Não me parecia correto ser passada para trás por uma mulher que se autodenominava Springbird! Encontrei a velha e boa Springbird enquanto procurava algumas informações de viagem para Artie e pensei que fosse sua agente. O *e-mail* perguntava se as costas dele estavam bem depois de "dormir naquele *futon* velho e encaroçado" e dizia que "o amava" e que "a saudade que ela sentia dele chegava a doer". Chegava a doer.

Então procurei a secretária do sócio de Artie. A de Artie é uma mulher austera e discreta, que nunca diria nada, mas a secretária do sócio, Miranda, é uma fofoqueira lendária. Levei-a para almoçar em seu restaurante favorito, o bufê do rei da comida chinesa, fingindo querer uns conselhos e fazendo de conta que eu sabia muito mais do que eu de fato sabia. Enquanto comia seu frango agridoce e rolinhos primavera, ela foi logo abrindo o jogo e contando que Artie tinha mais alguém. Ela tinha visto um ou dois *e-mails* e confirmou que o nome era Springbird, mas não sabia muito mais do que isso. Meu biscoito da sorte dizia "Você irá visitar o Nilo". O que isso podia querer dizer? Era alguma espécie de metáfora?

Quando cheguei em casa, confrontei Artie, que estava no banho. Ele saiu do chuveiro e me contou a verdade, toda a verdade, e não apenas sobre a mulher que Miranda havia mencionado, mas confessou também os dois outros casos, digo, *escapadas*. Ele afirmou que me contaria tudo que eu quisesse saber. Jogo aberto. E disse ainda:

— Faço qualquer coisa para consertar isso.

Mas eu não queria saber de nenhum detalhe. Ele se sentou na borda de nossa cama, com uma toalha enrolada na cintura e os cabelos ainda com xampu. Agora, neste exato momento, sentada ao lado dessa mulher na classe executiva e olhando para a mesinha dobrada à minha frente, eu só consigo ter desprezo por Artie, tanto quanto naquela ocasião. E por que tenho desprezo por ele? Não tanto pela infidelidade, isso às vezes é demais para mim, mas pelo seu descuido. Como pôde ter sido tão descuidado com nosso casamento, comigo?

— Bem — é a desistente pensando em voz alta, — poderosos não é bem a palavra. Não exatamente. É mais como eles chamam os modernos telefones celulares, sabe? Como é que eles chamam? Super casais? É isso? O que o seu marido faz?

Finalmente a comissária chega com minha bebida na mão. Ela sorri, se inclina e me entrega o copo.

— O que meu marido faz? — repito a pergunta. — Bem, ele gosta de comissárias de bordo.

— Oh... não foi bem isso que eu quis dizer! — se envergonha a mulher.

A comissária não se abala, apenas me lança um sorrisinho sem graça, como se dissesse "Você acha que é fácil ser eu?".

Dou de ombros.

Consigo enfim encerrar essa conversa com sucesso e sem nem precisar fazer uso da grande carta na manga que é dizer "Trabalho com auditoria", que tende a fazer as pessoas fecharem o bico na hora. A mulher então abre um livro encapado com tecido. Um romance barato? Pouco me interessa o seu livrinho encapadinho. Viro-me para a janela e brinco com a cortininha de plástico sentindo a minha garganta se apertar. Sei que vou começar a chorar. Não gosto de me sentir um caco emocional. Tento me distrair pensando para qual sócio ligar para resolver essa minha necessária ausência do trabalho, quem vai chefiar minha equipe de gerentes, quem vai segurar a mão dos meus clientes. Decidi me tornar auditora porque isso soava tão consistente. O que me atraiu foram as fileiras organizadas de números, o jeito como esses números podiam ser controlados, a falta de emoção de tudo isso. Auditor. É o tipo de trabalho que meu pai nunca poderia ter tido. Ele foi um "empreendedor", mas nunca entrou nos detalhes do que isso significava. Ele foi, de várias maneiras, o primeiro adorável trapaceiro que amei. Durante a faculdade, também tive uma fase de adorável trapaceira, mas não suportava magoar as pessoas. Moldei-me ao papel de auditora para me manter estável. Auditores não choram. Não se emocionam com as suas opções fiscais. Se ocupam com números. Calculam. Decidem se esses números são precisos ou adulterados. Eu resolvi ser auditora porque sabia que iria parar em salas abafadas com outros auditores — a maioria homens, e nenhum deles parecido com meu pai. Imaginei me apaixonar por um colega auditor e ter uma vida bem organizada e emocionalmente ordenada. Auditar iria me endurecer, me fechar. E talvez tenha funcionado por algum tempo. Talvez. Mas aí encontrei Artie.

 Desisto de resistir ao impulso de chorar e deixo as lágrimas escorrerem pelo rosto. Tiro um lenço de papel da carteira, vasculhando por entre os bilhetes de Artie, e aperto o nariz. Bebo meu gim-tônica de um só gole e peço outro antes da decolagem.

Capítulo 3

A LINHA ENTRE AMOR E ÓDIO É TÊNUE E IMPRECISA

A cada vez que respiro, tenho consciência de estar enchendo o interior da van com meu bafo de gim. Eu pediria desculpas ao motorista, mas só consigo escutar minha mãe me dizendo que não se deve pedir desculpas àqueles que prestam serviços. "É tão classe média." O fato de termos sido classe média durante toda a minha infância parece não fazer diferença. Contudo, decido por não me desculpar, porque não quero deixar o motorista desconfortável. Pedir perdão por sua embriaguez é algo que não se deve fazer quando se está bêbado — essa é uma das vantagens de se estar bêbado, certo? Não se importar com o fato de as pessoas saberem que você está bêbado. Mas eu querer me desculpar já é prova de que a bebedeira está passando, infelizmente. Como então alguns bombons de cereja comprados no aeroporto e começo a conversar.

— Então, você tem algum passatempo? — pergunto ao motorista. Já tive motoristas que eram jogadores inveterados, sobreviventes de genocídios brutais, pais de catorze filhos. Algumas vezes faço perguntas. Outras não.

— Dou aulas de tênis — diz ele. — Não era um passatempo, mas acho que agora se tornou.

— Você era bom nisso?

— Joguei com alguns dos melhores jogadores — ele olha para mim pelo retrovisor. — Mas eu não tinha aquele algo a mais que empurra você para o próximo nível. E não encarei bem isso. Ele me parece um tenista profissional agora. Bronzeado e com um antebraço desenvolvido como o do Popeye.

— Você não encarou bem?

— Caí na bebida, como diria minha avó.

Isso é alarmante, ele está dirigindo. E parece que o homem percebe meu nervosismo:

— Estou em recuperação — acrescenta ele rapidamente.

— Ah.

Sinto-me culpada por estar bêbada agora, como aquela vez em que Artie e eu levamos uma garrafa de vinho para nossos novos vizinhos, apenas para descobrir que ele era um alcoólatra em recuperação. Tenho certeza de que o motorista consegue perceber que tive um dia difícil hoje. Quero criar desculpas para mim mesma, mas tento não fazê-lo. Falar mais só vai levar a mais bafo de gim, essa é minha lógica embriagada no momento, e, num surto de paranoia, fico imaginando se vou me tornar alcoólatra. É esse o caminho da decadência? Vou ser do tipo que chega a se destacar no AA? Me preocupo com a minha saúde e depois arroto e odeio tanto o cheiro que sei que nunca vou ser muito alcoólatra. Careço de uma certa voracidade essencial e me sinto aliviada.

— Você joga? — pergunta ele.

Olho para ele confusa.

— Tênis?

Ah, sim. Dou de ombros, faço o sinal de "um pouquinho", pinçando os dedos e apertando os olhos.

A van passa pelo meu bairro, pelos jardins bem cuidados da rua principal. Nunca me senti parte daqui. Havia churrascos e coquetéis e milhões de outros eventos sociais nos quais as mulheres se juntavam para beber vinho, comer chocolate e extravasar uma adoração nada saudável por velas, cestas de vime e brinquedos educativos. Certa vez, houve uma festa de brinquedinhos sexuais, mas é estranho como depois de muitas conversas afetadas na rua principal, vibradores com pérolas conseguem parecer tão comuns quanto velas com aroma de baunilha.

Mesmo assim, temos alguns amigos, ainda que não do tipo que eu gostaria. Na verdade, quando as coisas começaram a dar errado, eu fiquei feliz de ir embora antes que eles começassem a telefonar com condolências aflitas. Eu não queria a solidariedade sincera deles e, menos ainda, a solidariedade fingida, cuja intenção única era me fazer revelar a verdade interior, que então iria rodar pela vizinhança. Eu estava com raiva do Artie. Pela traição e também pelo orgulho ferido. Eu era a boba. E não gostei de ter esse papel imposto a mim. Eu queria saber o que Artie contava a suas mulheres a meu respeito. Eu fazia parte desses outros relacionamentos que ele tinha, mas ausente, incapaz de me defender. Que versão de mim aparecia? O obstáculo, a megera, a idiota? Não há muitas opções para o papel de esposa traída — e nenhuma delas é boa.

Viramos a esquina e sei que, se eu levantar o olhar, verei nossa casa. Ainda não estou preparada. Artie e eu dividimos a casa meio a meio. Ele queria pagá-la sozinho, mas eu insisti. Era minha primeira casa e eu queria sentir que ela era realmente minha. Minha mãe achou que fui insana de sair correndo e deixar Artie lá, afinal ela tem regras muito definidas sobre como se divorciar bem e até costumava me dizer: "Quando um divórcio estiver a caminho, a coisa mais importante é ficar na casa e, de repente, até esconder algumas das coisas de maior valor. Se elas não puderem ser encontradas, não poderão ser divididas. Torne-se uma possuidora. Eu sempre fico, e fico até que a casa seja minha".

Eu disse que não queria a casa e não queria esconder objetos de valor. Mas ela me silenciou como se eu estivesse blasfemando:

— Nunca diga isso! Achei que tivesse criado você da maneira correta.

Como se a minha relutância em ser uma posseira na minha própria casa fosse uma falha social, semelhante a não escrever bilhetes de agradecimento ou usar sapatos brancos depois do dia do trabalho.

Já se passaram quase seis meses, e não sei que tipo de mudanças monumentais estou esperando, mas, quando a van do aeroporto encosta no meio-fio, me surpreendo por reconhecer nossa casa. Será que eu esperava que ela estivesse em péssimas condições? Artie, pelo visto, ficou em péssimas condições. A infecção cardíaca foi detectada algumas semanas após eu partir, mas a coincidência foi duvidosa desde o princípio. Sempre achei que fosse brincadeira, um jogo para angariar solidariedade, mas agora sua doença parece ser culpa minha. Me inclino na van para pagar o motorista e, apesar do fato de sermos desconhecidos, tenho uma vontade imensa de lhe contar que "Artie partiu meu coração, e eu não parti o dele". No entanto me contenho.

O motorista/ex-promissor-campeão-de-tênis/alcoólatra-em-recuperação me entrega seu cartão, decorado com uma raquete em relevo.

— Se algum dia você quiser bater uma bolinha... — diz ele, piscando.

Bater uma bolinha... Será que o meu motorista/ex-promissor-campeão-de-tênis/alcoólatra-em-recuperação está dando em cima de mim? Acredito que sim. Pego o cartão, ignorando a piscada.

— Obrigada.

Desde a traição de Artie, tenho sido tão austera, tão dura, que nenhum homem mais tem flertado comigo. Estou parecendo vulnerável? Será que perdi minha austeridade exatamente quando mais precisava dela? Ou talvez seja o fato de eu estar bêbada durante o dia... Dou uma pequena gorjeta. Não quero passar a impressão errada.

Ele se oferece para carregar minha mala.

— Não, não, estou bem.

Sou dessas bêbadas que se retesam para compensar a frouxidão. Artie me chamava de bêbada perna-de-pau. Ando com as pernas duras até minha mala e depois em direção à casa, aliviada de ouvir a van partir sem buzinadinhas marotas.

Alguém tem mantido o jardim em ordem, tirando o mato e aparando a grama. Suspeito que seja a minha mãe — ela tem compulsões do gênero, sempre teve. Faço um lembrete mental de lhe dizer que pare com isso. Entro pela porta da frente. O cheiro é o da minha casa — uma mistura de produto de limpeza com a loção pós-barba de Artie, sabão e alho, somada ao cheiro de madeira úmida da lareira vazia. Por um instante, é bom estar em casa outra vez.

A foto do nosso casamento — nós dois em um Cadillac conversível — ainda repousa sobre a prateleira. Dou uma fuçada na pilha de correspondências sobre a mesinha, depois ando pela cozinha, pela sala de jantar, onde encontro o sofá cujo forro Artie trocou para o nosso aniversário, as papoulas vermelhas. Meu peito se contrai num súbito aperto. Fecho os olhos e me afasto.

Ouço uma televisão no escritório. Ando pelo corredor e encontro uma jovem enfermeira vestindo um jaleco estampado com desenhos de crianças feitos a lápis. Ela dorme na poltrona de Artie. Tinha que ser jovem? Não podia ser velha e enrugada? E tinha que ser tão loira? Sua presença, claro, poderia ser acidental, um serviço contratado pelo computador, mas ainda assim me pareceria um grande insulto.

Deixo a enfermeira cochilando e subo a escadaria, olhando as fotografias que cobrem a parede. Esse é o lugar onde se penduram retratos de família, mas essas são fotos pseudoartísticas que tirei antes de conhecer Artie, durante minha fase de fotógrafa pseudoartística: um cão com a cabeça para fora de um teto solar; uma menina com um vestido enfeitado montando um pônei numa feira e chorando histericamente; um *hare krishna* falando ao celular. Esses são meus momentos quase artísticos. E agora estou aliviada por não serem fotos-padrão de família. Eu não aguentaria a falsidade das imagens de comercial de margarina de uma vida familiar feliz. E estou aliviada por não serem fotos antigas de nossos pais e avós — Artie e eu descendemos de pilantras de um tipo ou de outro. Nunca conseguiríamos tomar a complicada decisão sobre qual formação da família incluir. Por exemplo, qual dos maridos de minha mãe posaria numa foto com ela? Meu pai, que nos abandonou? O marido de número quatro, que era de longe o mais bonzinho, mas que, em uma luta corporal com uma enorme antena antiga, caiu do telhado e morreu porque, segundo minha mãe, "Seu defeito trágico foi ser pão-duro demais para assinar uma TV a cabo"? Ou o do divórcio mais recente, porque ela conseguiu o melhor acordo com ele? Como escolher? Não, estou feliz de ver meus velhos trabalhos de arte. Não sentia nada por eles quando parti, mas agora me parecem ao mesmo tempo engraçados e tristes, como acredito que fosse a minha intenção original, quando eu tinha intenções do tipo.

    Mas no topo da escada há uma foto recém-emoldurada, tirada por Artie, não por mim. Reconheço-a imediatamente. É um retrato das sardas em meu peito — nada de nudez obscena — ligadas de modo a formar um Elvis cantando. Estou olhando para longe, rindo, meu queixo para trás. Sei agora que Artie estava me esperando. Ele plantou essa foto aqui como uma maneira de me fazer amolecer pela nostalgia, e meu coração corresponde. Não consigo evitar. Sinto saudades desse momento em nossas vidas, tão íntimos e tão ligados um ao outro. Mas não me permito pensar muito nisso. Não estou com humor para manipulações. Subo marchando os últimos degraus.

    Sigo pelo corredor, em silêncio, em direção à porta entreaberta de nosso quarto. Da última vez em que vi Artie, ele estava do outro lado do raio-x do aeroporto, olhando para mim com olhos arregalados, braços abertos, congelados, como que no meio de uma questão importante. Eu devia ter interpretado como um pedido de perdão, penso eu.

Pouso minha mão na porta. Tenho medo de abri-la. Ele tem estado na minha cabeça há tanto tempo que não consigo imaginar seu corpo, sua voz, suas mãos. De repente, tenho medo de que ele pareça tão doente que eu não consiga suportar. Entendo a *ideia* da doença de Artie, mas não tenho tanta certeza de que esteja preparada para a *realidade* disso. Mas sei que preciso.

Abro a porta um pouquinho e o vejo na cama. Ele está olhando para o teto. Parece mais velho. Será que eu tenho uma imagem jovial de Artie na minha cabeça, aquela que uma parte de mim se recusa a atualizar (provavelmente porque me forçaria a atualizar a minha própria), ou é a doença que o faz parecer mais velho? Ele ainda está bonito. Eu já mencionei que Artie é lindo? Não de uma beleza convencional. Não. Ele levou um soco quando criança — sim, por causa de uma garota — e tem o nariz torto, mas seu lindo sorriso e jovialidade e sua inquietude lhe dão uma energia fervilhante. Provavelmente a mesma energia que o levou a outras mulheres. Seus ombros são largos — uma masculinidade corpulenta —, mas o fazem se sentir desconfortável, por isso ele se curva. E sempre ficava mais bonito no final do dia, solto por uma bebida, quando a luz começava a ficar fugidia e as coisas a se esconder nas sombras. Ele tem cabelos escuros e espessos, com um toque de grisalho, e um jeito brusco de afastá-los da testa, e olhos azuis, suaves e sensuais sob as pálpebras pesadas.

E agora? Agora Artie está morrendo em nossa cama, essa cama que ainda é *nossa*, apesar de tudo. E, embora exista um nó de ódio dentro de mim, eu só quero deitar ao lado dele, repousar minha cabeça em seu peito, enquanto contamos um ao outro tudo o que não compartilhamos nesse tempo — minha assistente excessivamente positiva, a mulher no avião — e desse jeito dizer "Vai ficar tudo bem. Vai ficar tudo bem".

— O que você está olhando? — pergunto.

Ele vira a cabeça e me encara; seu sorriso é lindo — um tanto petulante, mas também afetuoso e gentil. É como se ele tivesse previsto que eu chegaria hoje, e eu tivesse me atrasado, mas, ainda assim, ele permanecesse confiante de que eu viria, e eu realmente apareci, provando que ele estava certo. Artie sorri como se tivesse ganhado uma aposta.

— Lucy — diz ele, — é você.

— Sim. Estou aqui.

— Eu pretendia que isso tivesse acontecido de outro jeito, você sabe.

— Isso o quê?

— Conquistar você de volta — responde ele, os olhos se estreitando. — Quero dizer, morrer não era exatamente o que eu tinha em mente. É meio sem charme, pra ser muito sincero.

Não sei o que dizer. Não quero falar sobre morte.

— Qual era o outro plano? — pergunto.

— Regeneração. Penitência. Eu ia compensar tudo e me tornar um novo homem — diz ele, inclinando a cabeça. — Pensei até em alugar um cavalo branco.

— Acho que eu não teria caído nessa de cavalo branco.

Artie sempre adorou gestos exuberantes. Mais de uma vez meus biscoitos da sorte em restaurantes chineses vieram secretamente recheados com recados mais íntimos. Certa vez ele fez um poeta vencedor do prêmio Pulitzer escrever um soneto pelo meu aniversário. Em outra ocasião, num acesso de simpatia, eu disse a uma recepcionista espalhafatosa que tinha gostado do colar dela — uma coisa cafona, brilhante e chamativa à Liberace — e, no meu aniversário seguinte, lá estava o tal colar numa imensa caixa de veludo. Eu amava o desejo de Artie por me surpreender, mas adorava mais que tudo os momentos calmos e inesperados — fazer doces juntos, ficar cobertos de açúcar ou discutir sobre algum princípio da física ou a construção de aquedutos na

Roma antiga, coisas que nenhum de nós conhecia. Sempre amei mais o Artie quando ele não estava tentando ser adorável.

— Bem, o cavalo branco pode ser uma fantasia *minha* — admite ele.

— Visualizei toda uma cena no deserto, meio *Laurence da Arábia*. Mas desertos são difíceis de se achar aqui. E acho que eu não ia ficar muito bem de delineador. Basicamente, planejei evitar a morte.

— Ah, *trapacear* a morte. Isso seria coerente com seu padrão de comportamento.

— Não vamos entrar nessa agora, certo?

Sua voz soa cansada. Ele está morrendo, afinal. A exaustão aparece logo. Há um momento de silêncio. Não tenho mais nada a dizer. E aí ele acrescenta:

— Meu coração se virou contra mim. Eu pensei que você fosse curtir a ironia de eu ter um coração ruim.

Não digo nada. Meus malditos olhos insistem em se encher de lágrimas. Faço com que eles vagueiem pelo quarto como se fosse uma loja de presentes, enquanto levanto tranqueiras e vidros de perfume da penteadeira, inspecionando-os distraidamente. São minhas, mas parecem pertencer a uma outra pessoa, a vida de uma outra pessoa.

— Você costumava me achar engraçado — diz ele.

— Você costumava ser engraçado.

— Você deveria rir das piadas de um homem à beira da morte. É o mínimo de educação esperado.

— Não estou ligando muito para a educação — retruco.

— Para o que você liga então?

Para o que eu ligo? Olho para os sapatos que estou usando. Paguei muito caro por eles. Posso senti-los saindo de moda neste instante. Estou aqui de pé no meu quarto calçando esses sapatos, só porque minha mãe me disse que eu deveria voltar para casa. E tem mais. Não sou simplesmente uma filha obediente que não sabe o que fazer e faz o que lhe mandam. Mas sou filha do meu pai, o pai que nos abandonou, minha mãe e eu, por outra mulher. Jurei que nunca repetiria os erros da minha mãe, mas não foi exatamente o que eu fiz? Artie, o homem mais velho. Artie, o enganador. Como eu poderia saber que ele iria me enganar? Será que fui atraída por ele inconscientemente porque eu sabia o que ele ia fazer? Foi meu subconsciente que me traiu, que me forçou a me casar com meu pai? Será que estou recriando alguma cena freudiana, e agora tenho que representar a morte do meu pai? Preciso cuidar de Artie?

— Você tem uma enfermeira permanente? — pergunto.

— Fico mais tranquilo sabendo que tenho alguém em casa. Mas elas não ficam a noite toda. Marie está aqui agora e vai fazer uma última inspeção, como num bar. O seguro não cobre tudo, mas agora que você está aqui...

— Vamos manter a enfermeira — declaro. — Eu vou dormir no quarto de hóspedes no andar de baixo.

— Você podia brincar de enfermeira — sugere ele com uma expressão jocosamente triste. Incontrolável.

Meu coração se enche, como que invadido por uma maré, e me apoio em minha escrivaninha. Esse é Artie, o homem que amo, apesar de tudo. Estou aqui porque o amo, o arrogante e trapaceiro Artie do coração detonado.

Não consigo olhar para ele. Concentro-me na mesinha de cabeceira. Está lotada de vidros de remédios. Artie está morrendo. Serei eu a entregá-lo à funerária, à morte. Sozinha. Apesar das outras mulheres em suas outras vidas. Eu sou sua esposa e de repente isso me parece tremendamente injusto.

— Gostaria de saber onde estão todas elas agora, Artie. Onde elas estão?

— Elas quem?

— Suas outras mulheres. Elas estiveram presentes nos bons momentos — reclamo. — E onde estão agora?

Sento numa cadeira ao lado da cama e encaro Artie, nossos olhares se encontram pela primeira vez. Seus olhos azuis se enchem de água, ficando mais escuros.

— Eu tenho que passar por isso sozinha?

— Você *vai* passar por isso?

— Só estou dizendo que não parece certo que eu tenha que passar por isso sozinha. Eu não disse se vou ou não.

Ele estende a mão e tenta tocar meu rosto. *Não, não, Artie Shoreman. Não tão depressa.* Afasto minha cabeça, me levanto e começo a andar pelo quarto. Posso sentir seu olhar sobre mim enquanto observo uma foto nossa na parte de trás de uma balsa indo para Martha's Vineyard. De repente me vejo passeando de mãos dadas entre as casinhas de boneca em Oak Bluffs, olhando por cima dos penhascos em Gay Head, e Artie rezando pela nossa vida juntos, abençoados por muita gordura de baleia na Old Whaling Church em Edgartown. Olho para seus braços me enlaçando na foto e me lembro daquele exato momento, seu calor contra o meu corpo, o frio do vento em meus braços, e a velhinha que tirou a foto para nós com um sorriso condescendente. Agora sei por que ela estava sorrindo. "Espere até ele trair você e morrer deixando você sozinha." Volto-me para encarar Artie, que está olhando para o teto novamente.

— Ligue para elas — sugere ele.

— Para quem?

— Minhas queridinhas. Ligue para elas — diz ele. — Você não precisa passar por isso sozinha.

— Suas *queridinhas*? — odeio esse pequeno eufemismo. — Você só pode estar brincando — desabafo incrédula.

— Não — responde ele. — Não estou brincando. Talvez seja bom para todo mundo. Talvez alguma delas ajude você — ele olha para mim e dá um leve sorriso. — Talvez algumas delas possam me odiar no seu lugar.

— E o que devo dizer? Aqui é a esposa do Artie Shoreman. Ele está morrendo. Por favor retorne para agendar sua vez em seu leito de morte.
— Essa é boa. Diga isso. Talvez eu ainda consiga seguir meu plano de conquistar você de volta.
— Aquele plano com o cavalo branco alugado no deserto?
— Eu ainda posso me regenerar, fazer penitência, fazer as pazes — com algum esforço, ele se ergue sobre os cotovelos e tira uma agenda de endereços de uma gaveta do seu criado-mudo. — Este caderno está cheio de pessoas com quem eu devo acertar contas.

Quando estendo a mão para pegá-lo, ele o segura por um instante, com firmeza, hesitante como fazem as pessoas um pouco antes de entregar para uma auditoria sua declaração de imposto de renda malfeita. Ele parece cansado, talvez minha presença o tenha enfraquecido. Seu rosto está completamente sério agora, dolorido, as rugas mais profundas do que antes de eu partir, seu cabelo talvez um pouco mais grisalho. Sinto uma dor aguda no peito.

— Gostaria de ver meu filho também — diz ele ainda.
— Você não tem filho — lembro a ele.
Ele solta o caderno, que cai em minhas mãos.
— Estou para lhe contar isso há algum tempo. Eu o tive quando ainda era muito jovem, aos vinte anos. A mãe dele e eu nunca nos casamos. Ele é adulto agora. Seu sobrenome é Bessom. Está na letra B — informa ele.

Subitamente sinto calor no quarto. A temperatura sobe dentro de mim. Sei que não poderia assassinar Artie Shoreman em seu leito de morte (embora certamente já tenha havido esposas que mataram seus maridos em seus leitos de morte), mas eu bem que gostaria de arrancar dele, a pancadas, algumas semanas de vida depois dessa linda surpresinha. Será que ele não podia ter me contado junto com o buquê de flores número trinta e quatro: amo tanto você que esqueci que eu tenho um filho com outra mulher? Pego nosso retrato tirado em Martha's Vineyard e, antes que eu consiga me conter, o atiro do outro lado do quarto. Um canto da moldura bate na parede e se amassa. O vidro estilhaça, se espalhando pelo chão. Olho para minhas mãos vazias. Nunca fui do tipo que atira coisas. Artie me olha boquiaberto, completamente surpreso.

— Eu sei que Bessom fica na letra B, Artie. Meu deus, você é um cretino. Um filho, e só agora você me conta, depois de todo esse tempo? Que lindo!

Saio do quarto enfurecida e quase derrubo a enfermeirinha gostosa de Artie, que estava ouvindo atrás da porta. Não sei quem fica mais surpresa, eu ou ela.

— E você está despedida — comunico a ela. — E diga à agência que agora só queremos enfermeiros homens. Entendeu? Enfermeiros homens e feios. Quanto mais corpulentos e peludos, melhor.

Capítulo 4

VOCÊ NÃO PRECISA SER COMO SUA MÃE

Marie partiu rápida e discretamente, e em poucas horas um novo enfermeiro chegou para fazer a última inspeção em Artie. Um enfermeiro homem — embora não tão forte nem tão peludo quanto eu esperava. Mas é um enfermeiro — mais velho e quieto — com um daqueles nomes modernos que começam com a letra T. Ele passa pela porta da cozinha, olha pra mim e dá meia-volta. Como uns biscoitos, e ele aparece novamente. Para na porta.

— Há uma mulher no seu jardim. Parece que ela está tirando as ervas daninhas. No escuro — diz ele, parecendo mais surpreso pelo escuro do que pela capinagem noturna.

Não me surpreendo. Levanto-me e caminho até a porta da frente. E lá está, de fato, uma mulher mais velha e bem-vestida arrancando o mato da base de nossos arbustos. Acendo as luzes externas.

A mulher se levanta, segurando as ervas daninhas com raiz e tudo. É minha mãe, evidentemente vestida com um de seus agasalhos aveludados — azul *royal*, fechado até a metade para exibir um pouco do colo.

— Lucy, querida! Como você está? Que cara horrível. Você voltou a fumar?

— Eu nunca fumei. Você é a fumante aqui — afirmo a ela.
— Às vezes confundo você comigo. Somos tão parecidas.
— Não somos não.
— Trouxe jantar — diz ela, empilhando o feixe de raízes no chão.

Ela volta para o carro e pega uma travessa em uma sacola de lona na qual está bordada a frase "Viva a refeição compartilhada".
— Como isso, por exemplo. Eu sequer tenho uma sacola de lona, quanto mais uma em que esteja bordado viva a maldita refeição compartilhada!
— Não pragueje — me censura ela, balançando a cabeça. — Algumas mulheres acham isso *sexy*, mas não é.

Observo a piscina pela janela dos fundos enquanto minha mãe, Joan, se alvoroça pela cozinha. Ela arruma os pratos na bancada e se agita toda fazendo os pratos, pegando talheres, servindo a comida. Eu já disse que ela trouxe o cachorro, Bogie? Bogie é um dachshund bem dotado. Tão bem dotado que o quarto marido dela o chamava de cão de cinco pernas. A quinta perna, contudo, é um infeliz apêndice. Primeiro porque, como o cachorro é castrado e sem culhões, ela se tornou inútil. Segundo, porque, como Bogie tem as costas côncavas e as pernas curtas, ela começou a se arrastar pelo chão — o que não é tão ruim sobre um carpete fofo, mas difícil no chão de cascalho, por exemplo. Isso era um problema. Alguma hora o negócio ia ficar calejado de tanto ser arrastado, e isso é jeito de viver? Minha mãe decidiu então que *não*, que de fato era embaraçoso; assim, há alguns anos, ela criou um suporte peniano para o velho e querido Bogie. Uma *calçola de sustentação para cachorrinhos*, como ela o chama. Mas Artie e eu a corrigimos: é um protetor genital para cachorrinhos. E, para que a parte protegida mais importante fique no lugar, o aparato usa um intrincado sistema de arreios que passam por trás das patas traseiras de Bogie, por cima de seus ombros e se prendem no meio das costas. Acho que isso já seria suficiente, se minha mãe não tivesse um dom para criar moda no que diz respeito a protetores anatômicos — um talento oculto, na verdade. Ela usa fitas largas e laços, sempre com as cores combinando com as estações do ano — laranja no outono, vermelho e verde no inverno, azul bebê na primavera... O resultado é que Bogie parece estar sempre vestido para uma ocasião especial. É um cão lindo, quase comparável a um de exposição, como minha mãe sempre gosta de ressaltar.

E aqui está Bogie, em seu protetor estiloso, bamboleando em torno das pernas da minha mãe. Ele sempre mantém o queixo erguido, mas não consegue disfarçar o olhar preocupado e úmido que faz sua pose parecer uma máscara frágil para inseguranças profundas. Claro que ele é inseguro, e quem poderia culpá-lo por isso?

— Bogie está com uma cara ótima atualmente — comento.

— Ele está aparentando a idade que tem — emenda ela. — E não estamos todos? — minha mãe se curva e levanta uma das patinhas de Bogie, balançando-a para mim num aceno. — Oi, Lucy! — diz ela fazendo uma vozinha fina que seria do cãozinho. — Quis trazê-lo porque ele estava com saudades de você — justifica ela.

— E eu estava com saudades dele — digo.

Na verdade, Bogie raramente me vem à lembrança, apesar de eu ter que admitir que, quando certos assuntos surgem nas conversas — como objetos safados comprados para uma despedida de solteira —, acabo pensando nele, a quem Artie chama de "triste Marquês de Sade do mundo canino".

Minha mãe prepara uma bebida forte para nós duas, daí levanta o copo num brinde.

— Ao Artie! Caro, caro Artie! Que ele supere essa! — gorjeia ela.

— Ele não vai sair dessa. Você mesma disse.

— Sim, mas isso não serve para um brinde. Brindes têm que ser positivos.

— E por que estamos comendo como se ele já estivesse morto? — pergunto.

Minha mãe não responde.

A sacola "Viva a refeição compartilhada" me fez lembrar de uma brincadeira que Artie e eu fazíamos. Minha mãe teve uma fase em que costumava bordar todos os ditados cafonas conhecidos pela humanidade — do tipo "Liberte quem você ama" — em travesseiros, cobertores, camisas, estandartes, pegadores de panela, apoios de travessa. Artie começou a destacar algumas das filosofias que ela não chegou a bordar para a posteridade — por exemplo, "Escolhe-se o primeiro marido pelos genes; o segundo pelo dinheiro, o terceiro (ou quarto, e assim por diante) por amor".

— Cadê o travesseiro com esse pensamento? — perguntava Artie. — Cadê o travesseiro que diz "Nunca deixeis vosso traseiro sucumbir à gravidade"?

Artie adora minha mãe, e, embora ela fosse completamente contra o nosso casamento, também o adora.

Minha mãe e eu tomamos alguns goles e pousamos os copos. Fico brincando com a comida.

— Eu sei que ele machucou muito você, mas você tem que perdoá-lo — diz ela. — Ele é assim. Foi posto no mundo desse jeito.

— Não acredito que ele tenha sido um bebê adúltero — ironizo.

— Não seja tão literal. É feio. Você sabe o que eu quero dizer.

— Não sei se eu sei o que você quer dizer — protesto.

— Quero dizer que você sabe que eu nunca fui favorável à ideia de você se casar com Artie. Eu disse que ele provavelmente a deixaria viúva, só não imaginei que seria tão cedo. Mas ouça, eu perdoei meu marido, e isso fez de mim uma pessoa melhor.

— Qual deles?

— Seu pai, claro — ela faz uma pausa enquanto vasculha na memória seus arquivos matrimoniais. — E o marido de número três.

— Nenhum daqueles homens merecia ser perdoado.

Depois que meu pai deixou minha mãe, ele se mudou para a costa oeste e limitou sua participação em nossas vidas a um cartão no meu aniversário e outro no Natal, com vinte dólares dentro. Ele morreu por causa de um aneurisma, enquanto cortava a grama do jardim.

As plaquinhas de identificação de Bogie tilintam enquanto ele mordisca uma das patas.

— Mas eu fui superior — diz minha mãe. — E isso é o que me permite dormir em paz.

— Achei que você tomasse remédio para dormir.

— *O que me permite dormir em paz* é uma expressão, querida. Você realmente não devia ser tão literal o tempo todo. É ruim para você.

Quando eu ia começar a discutir com ela — porque acho que deveria haver pelo menos um tiquinho de verdade nessa conversa — alguém bate à porta. Olho para minha mãe e ela para mim. Não estamos esperando ninguém.

O enfermeiro caminha rapidamente para a cozinha.

— Deve ser o médico. Ele disse que passaria por aqui.

— O médico? — exclama minha mãe entusiasmada, arrumando o cabelo.

— Por favor, não use isso como uma oportunidade de arranjar o marido de número seis.

— Não seja mal-educada.

O enfermeiro vai até a porta da frente, mas hesita antes de abri-la. Seguindo-o pelo corredor, posso ouvir minha mãe se ajeitando e se emperuando atrás de mim.

— E como vai o budista? — pergunto, imaginando se esse relacionamento também já feneceu.

Minha mãe é completamente fiel a seus maridos e namorados, mas, uma vez terminado, já era. Ela nunca perderia, por exemplo, a oportunidade de flertar com um médico boa-pinta, empurrando o marido de número dezenove para o necrotério, ou com o padre bonitão que celebrasse a missa funerária do número vinte e um.

— Ele reencarnou — responde ela com certo desinteresse.
— Como namorado de outra pessoa?
Ela continua a se arrumar, o que significa que sim.
— Tão cedo?
— Ele que se vire com o carma dele.
Abro a porta.
O médico é da idade da minha mãe — cabelos grisalhos, profissionalmente preocupado.
—Entre — digo a ele.
— Que bom que você está aqui!
Minha mãe não consegue conter a satisfação. Ele é seu herói. Quero lembrá-la de que Artie continua prestes a morrer, mas decido não atrapalhar algo tão lindo.

O doutor vê Bogie, que vem em sua direção para cheirar seus sapatos. Vejo que ele pensa em perguntar sobre o suporte atlético, mas algo o faz se deter na hora — uma boa noção de comportamento médico; um medo oculto de que o problema seja relacionado à saúde; por que acrescentar as condições crônicas de saúde de um dachshund à sua lista?

Conduzo o médico até o andar de cima; depois, minha mãe e eu observamos da porta enquanto ele examina Artie, fazendo perguntas e respondendo em voz baixa.

Escuto o tilintar do gelo no cristal e vejo minha mãe terminando sua vodca.

— Você não quer ser a pessoa superior aqui? — pergunta ela.
— Não sei o que isso pode acarretar — respondo.

— Na alegria e na tristeza. Você fez um voto. *Na saúde e na doença*, você disse.
— Ele tem um filho.
— Tem? O Artie? Ele foi casado antes? Foi... *extraconjugal*?
Há alguns anos minha mãe me pediu ajuda para atualizar seu vocabulário e não parecer tão velha. Ela me pediu que a avisasse sempre que ela dissesse alguma coisa antiquada.
— As pessoas não dizem mais *extraconjugal* — observo.
— Oh — diz ela. — Eu sabia. É que estou tão... escandalizada com isso.
Eu não digo a ela que as pessoas não se escandalizam mais. Culturalmente já nos acostumamos demais ao escândalo para nos escandalizarmos.
— Aconteceu quando Artie tinha vinte anos. Ele e a mulher nunca se casaram.
Minha mãe recupera a compostura e estende a mão para tocar meu braço.
— Você está bem? Sinto muito. Que idade ele tem agora?
— Ele é adulto, por volta dos trinta anos. Artie quer vê-lo antes de...
— Isso é dramático demais. Por que ele não contou antes? Não gosto desse tipo de segredo.
— Eu também não — digo.
— Está vendo, somos tão parecidas — minha mãe levanta o copo, abocanha um cubo de gelo e sorri com tristeza para mim, com o rosto parcialmente maquiado. — Você vai superar tudo isso.
Eu não estou tão convencida. Me viro para descer e minha mãe vem atrás, chupando o gelo.
— Um filho. Ah, não, não gosto nada disso.

Mais tarde, quando o doutor grisalho se prepara para partir, minha mãe já está recuperada de sua indignação com os homens e o contempla com adoração.

— Terminei — diz ele, mais como um legista que acabou um embalsamamento do que como alguém pago para recuperar a saúde alheia. Ao fundo, minha mãe se ajeita embalada pela vodca.
— Você acha que ele está sentindo muita dor? — quero saber.
— A dor deve estar sob controle. A infecção causou bastante dano ao coração. Ele está enfraquecendo num ritmo muito acelerado. Não vai demorar muito.
— Quanto tempo?
— Ele pode aguentar uma semana ou duas. Um mês, no máximo. Sinto muito.

Sinto o sangue me subir à face. Quero estapear o médico. Um mês no máximo? Soa como se ele estivesse fazendo uma aposta. E não quero seu pesar nem esse tipo de capitulação. Sei que não estou sendo racional, que o médico está fazendo o melhor que pode. Olho para o chão e depois de volta para ele e agora, observando com calma, ele parece genuinamente pesaroso. Consigo dizer um obrigada.

Minha mãe não fala nada também. Ela volta sua atenção para mim, e consigo sentir seu amor; neste instante, pelo menos, sou o único foco de suas preocupações.

O médico sai e ficamos ali paradas. É difícil demais absorver a ideia de que Artie está no andar de cima agora, respirando, afastando o cabelo da testa do jeito que sempre faz, e que logo não estará mais aqui.

Olho para minha mãe.
— Oh, querida — diz ela.
— Ainda estou com muita raiva para sentir tristeza.

Essa não é a vida que eu esperava com Artie. Mas qual era afinal a vida que eu esperava? Nem consigo lembrar agora. Uma vida boa. Alguns bebês. Crianças na piscina. Festinhas de aniversário. Artie treinando times juvenis. Ele poderia ter comandado uma equipe juvenil de beisebol. Férias na praia. Envelhecermos jun-

tos vestindo bermudas. Coisas simples. Sinto um surto de raiva. Artie e eu fomos roubados. A raiva é encoberta pelo desamparo.
— Você pode ficar com raiva — diz minha mãe. — Tudo bem. O sofrimento virá. Há muito tempo ainda.
Olho para ela, para essa pequena mulher em seu agasalho justo aveludado. Ela conhece o sofrimento.
— Está bem — concordo. É tudo o que consigo dizer agora.
— Está bem.

Capítulo 5

UMA DECISÃO RUIM — QUE MUDA SUA VIDA PARA MELHOR — É UMA BOA DECISÃO AFINAL DE CONTAS? (OU: QUAL A DIFERENÇA ENTRE UMA BOA E UMA MÁ DECISÃO? APROXIMADAMENTE TRÊS DOSES DE BEBIDA)

Estou bêbada de novo. Culpa da minha mãe e seus brindes intermináveis. Logo após o médico sair, ela me enlaçou e me levou para a cozinha, preparou outros drinques e começaram os brindes. Ela brindou à força das mulheres. Às mães e suas filhas. A Joanne Woodward e Paul Newman, sem nenhum motivo especial. À raiva, à tristeza e à esperança. E agora está brindando ao amor.

— Ao amor! — diz ela. — Que brota no meio do nada, onde menos se espera!

Não me lembro de alguma vez na vida ter ficado bêbada duas vezes no mesmo dia. Na faculdade? No último ano do colegial, nas férias?

Minha mãe adormece no sofá da sala de jantar — o presente que Artie me deu de aniversário. Ainda é difícil olhar para ele. Minha mãe vai acordar e partir antes do amanhecer.

Quando dou por mim já estou no quarto de hóspedes no primeiro andar e decido me instalar. Abro a mala e a coloco sobre a cama. Mas eu deveria tê-la levantado antes e aberto depois, porque o peso me desequilibra um pouco e as roupas se espalham pelo chão. Encontro minhas calças de pijama e uma camiseta Black Dog de Vineyard. Ainda estou bebericando meu último drinque. Enfio as roupas de qualquer jeito nas gavetas, tentando fechá-las à força pois estão lotadas. Faço tanto esforço que fico sem fôlego e desisto, deixando-as ali, estufadas.

Vejo minha carteira do outro lado do quarto. Ela parece inocente, mas sei que todos os bilhetes de amor estão lá dentro — o conjunto completo, do número um ao cinquenta e sete.

Pego a carteira, tiro um punhado de bilhetes, abro a gaveta da mesinha de cabeceira, o enfio no fundo da gaveta, depois outro punhado, e mais outro, até que estejam todos lá, bagunçados, desordenados, amassados. O cartão do motorista/ex-promissor-campeão-de-tênis/alcoólatra-em-recuperação está ali também. Eu poderia ligar para ele e aceitar sua oferta de bater uma bolinha. Por um instante isso parece a vingança perfeita, mas eu nem mesmo gosto do motorista/ex-promissor-campeão-de-tênis/alcoólatra-em-recuperação. Rasgo o cartão, pensando que não quero esse tipo de vingança, mas ao mesmo tempo sabendo que desejo alguma revanche, por mais horrível que isso soe.

E então me assusto com uma voz.

— Estou indo — é o enfermeiro.

Abro a porta, ainda segurando o copo. Consigo vê-lo na luz do corredor — minha mãe ressona levemente ao fundo.

— Ele dormiu? — pergunto.

— Profundamente.

— Obrigada por tudo — agradeço e percebo que estou realmente grata; repleta de gratidão, como acontece quando se está bêbado. — Acho que eu não conseguiria dar conta disso.

O enfermeiro adverte:

— Só estou aqui para cuidar das necessidades físicas, para que você possa se concentrar nas coisas importantes, como as necessidades emocionais dele.

Me parece uma divisão injusta de trabalho. Fico irritada. Tensa.

— Esse é o meu trabalho? Tenho que tomar conta das necessidades emocionais de Artie Shoreman?

Todd — vamos chamá-lo assim — responde:

— Não sei. Quero dizer... não necessariamente. Eu estava apenas dizendo...

— Não se preocupe com isso — digo. Sei que estou bêbada, mas ainda me resta um pouco de noção.

— Boa noite, sra. Shoreman — e ele sai apressado pela porta.

Resmungo um boa noite, mas é tarde. Ele não me ouve.

Fecho a porta e olho em volta do quarto de hóspedes — a nova bagunça que fiz (em tempo recorde!), minha carteira na cama, a mesinha lateral (abarrotada com os bilhetes românticos de Artie), sua agenda de endereços (cheia de ex-namoradas, e, em algum lugar nessa confusão, as três mulheres com quem ele me traiu, uma mulher que ama elevadores, e o endereço e telefone do filho que ele nunca mencionou — na letra B).

Pego o caderno de endereços e folheio. Reparo que há pequenas marcas vermelhas ao lado de alguns nomes — apenas nomes femininos. Outros estão marcados com um x vermelho, alguns com pontos — um código. Ele tem essa agenda há anos; as páginas estão gastas nas bordas, quase transparentes. Eu sei que a maioria dessas mulheres surgiram muito antes de eu conhecer Artie — algumas talvez na época do colégio. Elas conheceram Artie antes de mim. Têm acesso a uma versão dele que eu nunca vou conhecer. Isso me parece muito cruel. Ele era então a mesma pessoa, de algum modo não adulterável? As pessoas mudam de verdade?

É estranho ver esses nomes — Ellen, Heather, Cassandra. Quem são essas mulheres afinal? Percebo que imaginei Springbird por completo — o único nome que eu conhecia até agora, apesar de ser apenas um apelido. Ela é baixinha, loira, animada,

41

mas, quando se cansa, logo reclama. Mas isso é tudo imaginação. Claro que não vou encontrar seu apelido na agenda. Continuo folheando. Os nomes me vêm à medida que viro as páginas — Markie, Allison, Liz... Não quero ler mais nenhum nome, mas também não consigo parar. A dor cala fundo no meu peito.
Me escuto dizendo:
— Eu não quero ter que cuidar das necessidades emocionais de Artie Shoreman.
Sento na beirada da cama e termino meu drinque, olho para o teto, acima do qual Artie dorme profundamente; onde Artie está morrendo. E me ocorre que ele sabe que eu jamais ligaria para uma de suas *queridinhas*, que eu nunca quis saber nada sobre as três que ele teve no período em que fomos casados e sobre as outras do passado. Me levanto e começo a andar de um lado para o outro.
— Artie, seu filho da mãe. Você acha que eu não vou fazer isso, não é? Pensa que vou apenas assumir meu papel aqui. Perdoá-lo. Ser a boa esposa. Fingir que nada aconteceu. Aguentar sozinha. Ser superior.
Abro na letra A, deixo meu dedo correr até um nome com um ponto vermelho. Kathy Anderson. Pego outro drinque. Digito o número. É interurbano — a um estado de distância —, já passa da meia-noite. O telefone toca duas vezes, e então a secretária eletrônica atende, uma voz de mulher e o barulho de sininhos de vento ao fundo. Imediatamente a odeio. Após o sinal continuo como tinha planejado.
— Artie Shoreman está morrendo. Por favor retorne a ligação para agendar seu turno ao lado do leito de morte dele.
Bato o telefone. Mas isso dá uma sensação estranhamente boa. Ligo para o próximo número marcado com um ponto vermelho. Dessa vez, uma mulher atende. Obviamente a acordei.
— Artie Shoreman está morrendo. Para quando você gostaria de agendar um horário ao lado de seu leito de morte?

— Artie Shoreman? Diga a ele que por mim ele pode apodrecer no inferno.

Esse nome tem uma marca vermelha ao lado, um x quase violento, portanto o código é facilmente decifrável, até mesmo por alguém no meu estado de embriaguez.

— Compreensível — digo. — Talvez na próxima quinta?
— O quê?
— Você gosta de elevadores?

O telefone emudece.

Sorrio. Não faz sentido, mas não consigo parar de sorrir. Vou para a letra B. Lá está: John Bessom. Nenhuma marca vermelha. Um nome com endereço e o nome de uma empresa: Butique Bom Sono Bessom. Meus dedos correm sobre as letras imaginando como seria o filho de Artie — como seria o nosso filho, se tivéssemos tido um. Será que ele se parece com Artie? Afasta o cabelo da testa num gesto brusco como o pai? Será dele a Butique Bom Sono Bessom? Ou pertence à mãe? O nome dela também está aqui — Rita Bessom. Será que Artie propôs casar-se com ela?

É demais. Viro a folha dos Bessoms, folheando as páginas adiante. Encontro outro ponto vermelho — grande. Obviamente, Artie deixou a ponta da caneta pousada ali por um longo tempo, a mente a viajar. Pego o telefone, digito o número, olho para o céu noturno, a lua gorda.

Uma secretária eletrônica atende. A voz feminina é jovem e cansada.

— Aqui é Elspa. Você sabe o que fazer.

Mas me ocorre então que não sei o que fazer. Eu não tenho ideia do que estou fazendo. Não digo nada a princípio. Apenas escuto a estática monótona, depois falo:

— Artie Shoreman está morrendo. Por favor retorne para marcar um horário ao lado de seu leito de morte — e faço uma pausa. — Artie está morrendo.

Capítulo 6

O PERDÃO NÃO USA ROLEX FALSO

Enquanto ponho café na xícara — de ressaca e me sentindo péssima —, um novo enfermeiro arruma uma bandeja de alimentos leves e algumas pílulas em copinhos brancos de papel — que me lembram os potinhos de creme para café que eu costumava tomar e depois empilhar quando ia a restaurantes chiques com minha mãe e seus vários maridos. Acho que eu fazia isso não por gostar do creme, mas porque irritava profundamente minha mãe. Na verdade, o número quarenta e dois de Artie é sobre como eu ainda, de vez em quando, abria um desses potinhos num restaurante e o virava como se fosse uma dose de tequila, o que lhe parecia charmosamente estranho e desinibido. As mãos do enfermeiro são enormes, e fico fascinada com a destreza com que ele lida com os minúsculos copinhos.

Percebo que ele já preparou o almoço de Artie, o que me parece errado, até eu olhar para o relógio e ver que é meio-dia. O enfermeiro corpulento levanta a bandeja e os pratos trepidam, alto, tão alto que me lembram o quanto eu bebi na noite passada. Gostaria de saber para quantas das queridinhas de Artie liguei. (E percebo agora que absorvi o termo *queridinhas*. Mesmo ouvindo a palavra na minha cabeça, a pronuncio com desdém. É um termo ridículo, nada carinhoso!) Liguei para meia dúzia? Uma dúzia? Mais? E por que eu liguei para elas? Não me lembro. Um desafio? Parecia um desafio. Estava respondendo ao blefe de Artie? Alguma das mulheres me pediu para dizer a ele que quer vê-lo apodrecer no inferno?

O enfermeiro musculoso me olha. Eu o estava encarando. Sei que na verdade ele está fazendo o meu trabalho. Eu é que deveria estar com a bandeja.

— Eu levarei para ele, tudo bem? — digo.

— Claro — concorda o enfermeiro musculoso. — Ele conhece a rotina dos remédios.

— Alguém ligou esta manhã? — pergunto.

Ele confirma com a cabeça.

— Na verdade, em muitas das ligações, a pessoa desligava tão logo eu atendia — responde ele.

— Umas três?

Ele então confere num bloco de notas preso à geladeira por um ímã.

— Uma mulher ligou e falou — e aqui ele faz a citação exata — "Diga ao Artie que eu sinto por ele mas não posso perdoá-lo."

— Ela deixou o nome?

— Eu perguntei, mas ela quis saber se era mesmo importante. Eu respondi que achava que sim, mas ela desligou na minha cara.

— Sinto muito por isso — digo, sabendo que, em parte, a culpa é minha.

Coloco meu café na bandeja e subo as escadas, imaginando o que exatamente vou dizer ao Artie. Então, nenhuma das mulheres se ofereceu para ficar ao lado de seu leito de morte, e uma ainda quer que ele apodreça no inferno.

Quando a porta do quarto range, Artie abre os olhos, mas está fraco demais para se sentar. Ele me olha com seus olhos azuis perspicazes e sorri, mas não se move.

— O que aconteceu com a Marie?

— Ela disse que você não fazia o tipo dela.
— O quê? Ela gosta de boa vida? Se ela vai ter esse tipo de padrão...
— Mulheres! Elas têm expectativas tão altas — afirmo com uma exasperação fingida e uma certa dose de irritação. — Você consegue se sentar?
Abaixo a bandeja enquanto ele se ergue e afofo os travesseiros em suas costas. Abro as pernas da bandeja e a coloco no colo dele. Ele olha com desgosto para os copinhos de papel e levanta o garfo, cansado.
— Quando foi que você se tornou organizado o bastante para pensar no sistema de pontos vermelhos? — pergunto.
— Eu tenho algumas habilidades secretariais.
— Habilidades com secretárias é outra coisa.
Isso não é justo, na verdade. Nem sei se Artie já teve algo com alguma de suas secretárias. Mas ele morde a isca, enquanto brinca com o purê de maçã no prato.
— Então você deu uma olhada no caderninho?
Confirmo com a cabeça.
— E encontrou o Bessom?
— Vi os dados dele.
— Você vai ligar?
— Por que você não o faz?
— Você acha que eu o abandonei?
— Não faço ideia.
— Ela nunca quis que eu visse o menino. Nem os pais dela. "Apenas mande os cheques", diziam eles. Durante muito tempo escrevi cartas implorando e, quando John fez dezoito anos, mandei uma carta para ele contando o meu lado da história, mas ele nunca respondeu. Ele adotou a resposta padrão da família: nenhuma resposta. Ele é meu, mas também não é — Artie fecha os olhos e deixa a cabeça cair sobre o travesseiro.
— Por que você nunca me contou nada disso?

— Eu não sei — responde ele e balança a cabeça. — Eu não queria que você pensasse que sou como seu pai. Do tipo sem amor, ausente. Não sou assim. Eu teria amado aquele garoto à minha maneira, se tivessem deixado.

— Eu não pensaria que você é igual ao meu pai — argumento. — Eu não faria isso com você.

— Não quis arriscar. Eu sei o quanto seu pai magoou você. Não queria que você me botasse na mesma categoria de mau pai. Isso teria acabado comigo.

Não sei mais o que pensar. Artie tem vidas secretas. Ele tem compartimentos — seu passado, suas queridinhas, suas tristezas e fracassos.

— Eu não liguei para ele, mas fiz algumas outras ligações.

— Você fez? — ele ergue as sobrancelhas.

— Você não me conhece tão bem quanto pensa. Algumas vezes, na verdade, você me confunde com outras mulheres.

Ele olha para mim. Seus olhos estão cansados. Ele sequer mexeu na comida.

— Eu amo você. Apesar de tudo.

Isso não parece justo. Eu sei que eu deveria encarar essa declaração do jeito que minha assistente Lindsay faria — como pura, sem manipulação, com amor —, mas eu não consigo. Eu não consigo confiar em Artie. Ando pelo quarto.

— Nenhuma delas virá. Ah, duas mandaram mensagens, mas acho que você não vai querer ouvi-las.

— Você costumava transbordar de sentimento antes de descobrir. Você era tão incontrolavelmente cheia de vida. Lembra?

Lembro, levemente, vagamente.

— Na verdade, não — digo.

Sinto que aquela pessoa me foi roubada. Algumas vezes não tenho tanta saudades de Artie e do nosso relacionamento quanto tenho saudades da pessoa que eu costumava ser. E sinto falta daquele Artie também, o que me deixava louca por coisas simples

— dirigir o carro com a luz do combustível piscando, colocar a caixa de suco de laranja vazia de volta na geladeira, querer me abraçar quando eu estava de mau humor. Ah, eram aborrecimentos tão minúsculos. Gostaria de tê-los de volta.

Artie dá uma tossida, uma tosse áspera, vinda de algum ponto no fundo dele. Quando ele se acalma, digo:

— Somos só você e eu, estamos juntos nessa.

— É o que eu quero — diz ele.

E, num ato reflexo, não consigo me segurar:

— Desde quando?

Artie afasta a bandeja do peito e tira o cabelo da testa.

— Você acha que algum dia vai poder me perdoar? Quando sua mãe esteve aqui, ela disse que eu deveria ser perdoado, porque sou assim mesmo.

— Os conselhos da minha mãe sobre homens são altamente suspeitos. Ela não tem exatamente um histórico perfeito.

— Eu perdoaria você — afirma ele.

— Eu não ia querer que você o fizesse.

De repente, me sinto muito cansada sob o peso de todas essas emoções. Sento na lateral da cama. Talvez eu queira perdoá-lo, se perdoar significa conseguir esquecer tudo. Me viro e olho para ele.

Ele estende a mão e toca uma sarda em meu peito, e outra, e outra. Eu sei que ele está buscando o Elvis. É a linguagem íntima e silenciosa da memória entre nós. Nada precisa ser dito. Minha vontade é falar que ele não pode morrer, que eu o proíbo.

E então ele fica imóvel me olhando

— Eu *vou* perdoar você.

— Pelo quê?

— Quando eu morrer, você vai se arrepender de várias coisas. E eu quero que você saiba que eu a perdoo.

Levanto-me. Fui pega de surpresa. Quase digo "Que gentil, Artie pensar em me perdoar!". Mas há algo mais perturbador aqui.

Ele está planejando morrer. Está olhando para o futuro e tentando arrumar as coisas, e eu sei que ele está certo. Me ocorre que há tantas coisas nele de que vou sentir falta, não só dos grandes gestos, do seu charme incrível, mas também das coisas que eu achava mais irritantes, o jeito como ele tomava café e às vezes gemia ao se sentar, como se estivesse fazendo um grande esforço; o modo como ele pescava as azeitonas dos martinis com os dedos e andava pela casa escovando os dentes — o escovador nômade, eu o chamava. E sei que eu vou encontrar mais um monte de coisas de que vou me arrepender. Posso até mesmo lamentar não ter sido uma pessoa superior.

Meus olhos se enchem de lágrimas ao sair do quarto. Viro rapidamente no corredor e me sinto tonta. Então me apoio na parede, pressionando a cabeça contra o frio.

Alguém bate à porta no andar de baixo e a vibração ressoa por toda a casa. Não consigo me mexer, contudo, não ainda. Suponho que seja minha mãe, que, depois de ter acabado toda a sua lista de afazeres, veio ver se eu já estou de pé e na labuta, se já tomei meu café da manhã. "Estou bem", direi. "Olhe! Estou segurando a barra! Novinha em folha!" Eu gostaria de fingir por um tempo para evitar mais autorreflexões — só por um tempo. Desço as escadas correndo, fingindo animação, e abro a porta.

— Estou super bem! — declaro alegremente.

Mas não é minha mãe. É uma jovem de cabelo roxo profundo, com um corte curto e irregular. Ela tem vários *piercings* — em toda a extensão de ambas as orelhas, um pequeno brilhante no nariz e uma argola no lábio inferior que acentua o beicinho. Ela veste uma camiseta preta sem mangas, de uma banda de que nunca ouvi falar — Balls-Out —, pelo menos acho que é uma banda. E exibe uma tatuagem de guirlanda em torno do bíceps — bem musculoso — e carrega o que parece ser uma mochila do exército.

— Sou Elspa — diz ela. — Estou aqui para o meu turno.

Capítulo 7

A ESPERANÇA ÀS VEZES BATE À SUA PORTA,
ENTRA NA SUA CASA E DEIXA CAIR A MOCHILA,
COMO SE FOSSE FICAR POR ALGUM TEMPO

— Você está aqui para o seu turno? — pergunto. Estranhamente, todos os *piercings* e tatuagens e a cor do cabelo de Elspa me fazem lembrar da minha mãe — toda aquela maquiagem para desorientar o observador. Na verdade, os acessórios não me distraem por muito tempo. É evidente que Elspa é muito bonita — quase de tirar o fôlego. Tem lábios volumosos e olhos castanhos escuros com cílios espessos, o nariz pequeno e as maçãs do rosto notáveis. Ela não usa nada de maquiagem. Ainda estou tão atordoada por tudo — a conversa com Artie, o fato de não ser minha mãe à porta — que fico completamente atônita. Consigo dizer apenas:

— Você foi enviada pela agência de enfermeiros?

Não fico bloqueando a porta. Ela está totalmente aberta porque eu esperava que fosse minha mãe a entrar com toda a sua alegria. Na verdade, mantenho-me na retaguarda, quase a convidando para entrar. Quase. E é tudo de que ela precisa. Passa por mim, com mochila e tudo, direto para o corredor. Ela parece ter urgência. Está nervosa, ou mais especificamente abalada. Seus olhos disparam pela casa.

— Não, não sou da agência de enfermeiros.

— Que alívio!

Elspa ignora o comentário. Ela me olha diretamente.

— Você me ligou.

— Liguei?

— Vim assumir meu turno ao lado do leito de morte de Artie. É o que você queria, certo?

—Ah, sim. E a mochila?

Estou um pouco irritada com a mochila, ela soa como vim-para-ficar-um-tempo. Essa é uma das queridinhas de Artie? É um pouco mais nova do que eu imaginava — vinte e seis anos, no máximo?

— Vim dirigindo de Jersey assim que pude. Eu tive aula esta manhã, mas saí logo que acabou. Já acertei uma reposição com o professor— diz ela como se isso explicasse tudo. É muito velha para ser universitária. Ela coloca a mala no chão.

— Onde ele está?

— Você não pode ficar aqui.

Essa é uma das queridinhas que Artie teve durante o nosso casamento, um dos seus casos, escapadas? É possível que ela tenha idade suficiente para tê-lo conhecido antes de nos casarmos? Quero dizer, Artie e eu ficamos casados por quatro anos e namoramos apenas durante um ano antes de casar — tudo muito rápido, pensando agora. Será que ele saía com uma garota de vinte e um anos antes de mim?

— Eu durmo no sofá. Não vou causar nenhum problema. Ele está sentindo muita dor?

— Olhe — digo a ela, — eu estava bêbada. Estava brincando. Eu não pensei que alguém fosse me levar a sério.

Elspa dá um rodopio. Tem os olhos bem abertos. Ela parece uma criança, extremamente esperançosa.

— O quê? — ela volta a aparentar um pouco de cansaço. — Escute aqui. Artie está morrendo ou não?

Percebo que ela investiu muito nessa visita. Há muita coisa em jogo para ela. Gostaria de mentir dizendo que Artie está bem e que ela pode voltar para casa, mas não consigo. Acho que ela pode amá-lo de verdade, ou pode precisar dele. Não consigo saber ao certo.

— Sim, ele está morrendo.

— Então quero ajudar como puder. Ele foi muito bom para mim.

— Foi?

— Ele salvou minha vida — e ela diz isso como se falasse de um santo, não de um namorado.

O enfermeiro musculoso passa por nós e sobe a escada. Elspa o observa.

— Ele está lá em cima?

Respondo que sim com a cabeça.

— Posso? — pergunta ela apontando a escada.

Seu desespero me espanta.

— Vá em frente.

E assim Elspa, essa completa desconhecida — salva por Artie Shoreman, o santo —, sobe a escada correndo, dois degraus por vez.

Capítulo 8

TODO MUNDO VENDE ALGO; ENTÃO SEJA SEU PRÓPRIO GIGOLÔ

Fico no corredor sem saber o que fazer agora. Olho para o alto da escada. Elspa. O que ela tem a dizer ao Artie? Eu falei que ela podia dormir no sofá? Estou cansada de não conhecer os segredos do meu marido, cansada de tropeçar nas áreas cercadas de sua vida. Vou para o quarto de hóspedes e pego a agenda de endereços. Apanho minhas chaves na mesinha e saio. Há um Toyota enferrujado estacionado na calçada.

Espero que ele não esteja mais lá quando eu voltar.

Meu carro está na entrada da garagem. Não dirijo há seis meses. Sento no banco do motorista, que está ajustado para Artie, e fico feliz por ele ainda não ter morrido. Tenho certeza de que, se ele estivesse morto, eu teria voado para fora do carro, perturbada demais pelo assento e os espelhos estarem regulados do jeito dele. Mas Artie não morreu, e vou ajustando tudo, com calma, do meu modo. Eu deveria fazer o mesmo com as outras coisas na casa. Consigo pensar logicamente sobre isto — a morte de Artie. Eu posso me preparar mentalmente antes que de fato aconteça. Posso me prevenir, como faria ao me preparar para uma nova auditoria no trabalho.

A Butique Bom Sono Bessom fica numa parte mais antiga da cidade, uma que está passando por mudanças, ficando mais chique. A fachada de uma em cada quatro lojas está sendo reformada. Encontro a travessa que estou procurando, viro à esquerda e estaciono numa vaga. Butique Bom Sono Bessom. Desde quando tudo virou butique? E não gosto da aliteração. É uma birra minha, Kortes Klassudos ou Cozinha & Coisinhas. Pelo amor de Deus, soletrem as malditas palavras do jeito certo! Vou até a loja e vejo minha imagem refletida nas janelas foscas. Fico surpresa por estar aqui. Pareço cansada. Meus olhos inchados, a pele debaixo deles meio azulada. Meus lábios estão rachados. Meu cabelo despenteado. Prendo uma mecha atrás da orelha e umedeço os lábios, e rapidamente desvio o olhar.

Abro a porta e escuto o tilintar de um sininho arcaico: *blimblom*. O lugar é um estacionamento de camas, como se um hotel inteiro tivesse desabado e todas as camas esticadinhas e bem feitas tivessem ido parar no porão — mas um porão de luxo. Há até mesmo algumas obras de arte vanguardistas e mesinhas de cabeceira modernas; as paredes têm uma dessas cores novas: algo como um toque de limão? O carpete fofo se estende de parede a parede, e as camas estão lindamente arrumadas com muitos travesseiros espalhados sobre elas. Não há outros clientes na loja, nem música ambiente. Tudo que ouço é o barulho abafado da rua atrás de mim e as batidas ocas de um relógio de parede prateado dos anos sessenta que lembra um projeto de feira de ciências sobre o sistema solar.

Quero roubar alguma coisa. É o meu primeiro instinto. E não sei por quê. Meu segundo impulso não é muito melhor: quero correr por sobre o campo de camas. Me vejo correndo sobre elas até o fundo da loja.

E então reparo que há uma protuberância sob as cobertas de uma cama de baldaquino elegantemente arrumada, próxima ao fundo. Como não há vendedores à vista, suponho que seja um estudante universitário mediano que foi encarregado de cuidar da loja. Não sei se devo acordar esse preguiçoso ou não, mas me sinto um pouco responsável pela Butique Bom Sono Bessom, sem nenhuma razão aparente.

Vou até a cama.

— Com licença.

É um homem adulto, entre vinte e trinta anos. Fico surpresa por ele não se levantar abruptamente e começar seu discurso de vendedor que provavelmente já traz arraigado na superfície do seu subconsciente. Em vez disso, ele abre os olhos lentamente, olha para mim e dá um sorriso preguiçoso, se espreguiça e ajeita o cabelo loiro. Ele é bonitão, e consigo facilmente imaginá-lo sem camisa, descalço, vestindo apenas a calça do pijama — alguém que John Bessom deve ter contratado como vendedor pela aparência, sem saber que o rapaz dorme na mercadoria enquanto o chefe está fora. Decido que, quando encontrar Bessom, terei que dedurar esse vendedor.

— Estou procurando um colchão, hã, pesado, firme. Você sabe, um colchão bom, sólido, confiável. Você sabe me dizer onde encontrar John Bessom?

Ele me olha, meio amassado e *sexy*, com olhos sonolentos.

— Não vendemos confiabilidade, firmeza, segurança, solidez — diz, bocejando.

— Mas você vende colchões aqui, não? — sorrio inclinando a cabeça. Sinto que entrei no meio de um jogo de palavras do qual não sei as regras. Eu gosto de jogos de palavras e sou boa neles.

— Não, na verdade não vendemos colchões. Não exatamente.

— Então o que vocês vendem? — pergunto.

O rapaz sorri flertando. Mordi a isca. E ele deixa de lado seu ar sonolento. Só não parecia o que eu esperava.

— Vendo um monte de coisas. Vendo sono, por exemplo. Vendo sonhos.

— Sono e sonhos? — indago.

— Exatamente — continua ele, ainda na cama, com a cabeça na mão, e agora estou convencida de que Bessom fez um ótimo negócio contratando esse rapaz. Tenho vontade de comprar uma cama. E então ele diz:

— Eu vendo terrenos de luxo para o amor.

Esse comentário me paralisa. Levanto um dedo. Repasso a conversa na minha cabeça. Noto que ele parou de dizer "Nós vendemos" e começou a dizer "Eu vendo". Olho para a vitrine de vidro, as letras de Butique Bom Sono Bessom escritas ao contrário. Há algo tão genuinamente de Artie na frase "terreno de luxo para o amor" que me sinto congelada por um instante. Esse cara não se parece nem um pouco com Artie, exceto talvez por uma coisinha na mandíbula, mas sem dúvida herdou os genes paqueradores do pai.

— Você é John Bessom?

— Em carne e osso. Como posso ajudá-la?

Apenas o encaro mais um pouco, ainda procurando por Artie. Inclino a cabeça. Uma parte de mim estava esperando o chefe da Butique Bom Sono Bessom, mas outra, admito, esperava alguém que parecesse mais um filho, algo mais piscina infantil, acampamento, time de escola.

— Você está bem?

— Estou ótima — olho ao redor da loja. — Bem, infelizmente eu só preciso de um colchão.

— Quem consegue viver dia após dia vendendo apenas colchões?

Ele se senta e coloca os pés no chão. Está usando sapatos de camurça.

— Seria sombrio demais.

— Certo. Entendi — digo.

Subitamente não sei mais por que estou aqui. Vou lhe contar que seu pai está morrendo? É essa a minha função? Se ele quisesse falar com Artie, o teria feito anos atrás. Começo a me encaminhar para a porta.

Ele se levanta então:

— Olhe — diz ele — espere. Desculpe, eu tive uma semana horrível. E meu ano foi ainda pior. Eu fico assim — ele aponta para a cama. — Eu fico paquerando. É um mecanismo para lidar com isso. Mas estou tentando resolver. O que eu quis dizer é que eu adoraria lhe vender um colchão. *Preferiria* lhe vender algo mais abstrato, mas me contento com um colchão.

Reteso-me, como se ainda estivesse um pouco bêbada, como se minha austeridade estivesse erodindo, e saio andando com meu passo de perna-de-pau. Reúno minhas forças. Fico imaginando se minha testa está franzida. Será que essa força, essa austeridade vão me causar rugas? Botox? Não tenho outra opção no momento, apenas ser dura e forte. É tudo que tenho a oferecer.

— Da próxima vez que eu precisar de uma abstração, saberei aonde ir — digo e saio.

Capítulo 9

Algumas vezes o desconhecido diz
o que você precisa ouvir

Encosto na minha calçada e noto que o Toyota enferrujado ainda está estacionado na rua e totalmente torto ainda por cima.

Entrando na casa, vejo que a mochila de Elspa ainda está no corredor no lugar onde ela a havia largado. Coloco minhas chaves na tigela da mesinha e me sinto uma estranha — como um ladrão educado que apenas quisesse pegar uns biscoitos, comer uns bombons e talvez preparar um gim-tônica.

Não sei o que fazer. Fico de pé no corredor. Parada. Espio para dentro da sala de estar. Tudo está tão silencioso, tão parado. Na prateleira, um enorme buquê de flores está despencando de um grande vaso. Vou até lá e tiro o cartãozinho de seu prendedor de plástico. Ele diz: número cinquenta e oito: o modo como você voltou para casa; você voltou. O modo como parte de você, ainda que bem pequenininha, lá no fundo, talvez ainda me ame. Não sei o que fazer com isso. Ele está certo. Alguma parte de mim ainda o ama, claro, e algumas vezes é a parte que transborda e me inunda a alma. Talvez eu deva contar isso a ele. Talvez seja algo que ele devesse saber.

E então ouço alguém cantar.

É suave, agudo, musical. Solto os braços. Deixo o número cinquenta e oito cair no chão.

Sigo o canto escada acima. Vem do quarto. Abro a porta. A cama de Artie está vazia; os lençóis jogados, como se ele estivesse milagrosamente curado e tivesse saído para o escritório.

Mas a cantoria não vem do quarto. Vem do banheiro principal. O enfermeiro está de pé ao lado da porta. Ele parece um pouco desorientado, inseguro do seu papel ali. Aceno com a cabeça e ele responde.

— Estou de prontidão — diz ele — para ajudá-lo a entrar e sair da banheira.

Mas isso não explica o canto. Atravesso o quarto até a porta do banheiro, que está suficientemente aberta para que eu consiga ver as costas de Artie. Ele está sentado na banheira, e a voz de Elspa — uma voz linda — brota de algum lugar do fundo dela. Ela está lá, ajoelhada ao lado da banheira, cantando suavemente. Não reconheço a canção. Ela molha uma esponja na água da banheira e a espreme sobre as costas de Artie. Não há nada nem remotamente sexual nisso. Nem um pingo de erotismo. Apenas ternura — como uma mãe cuidando de uma criança com febre. Isso me tira o fôlego. O momento tem uma beleza singela, uma pureza.

Meu peito se aperta numa dor aguda. Sinto-me tonta novamente e saio cambaleando do quarto. Desço as escadas até o armário de bebidas da cozinha. Está muito claro, muito barulhento, muito arejado. O teto é alto demais. Me sinto minúscula. Minhas mãos trabalham velozes. O gelo tilinta no vidro. É um som tão solitário.

Então o telefone toca e eu o atendo. É Lindsay, que começa a falar a todo vapor, tão rápido que consigo pegar apenas algumas palavras — parece que alguém pode ser demitido. Danbury? E há um cliente que pode nos deixar? Um dos sócios está surtando? Não consigo entender nada.

— Vai dar tudo certo — digo a ela. — Só não se envolva emocionalmente. Não leve as coisas para o lado pessoal. Não posso falar agora.

Mas ela continua falando sobre a iminente demissão de Danbury e a possibilidade de uma pequena promoção; e volta ao sócio de novo.

— Não posso falar agora — insisto. — Não leve a mal, Lindsay, mas escute, me deixe lhe mostrar como desconectar — desligo o telefone e fico lá.

Elspa entra e tira uma salada da geladeira, uma novidade para mim. Não tinha visto essa salada antes.

— Quer um pouco? — pergunta ela. — Fiz bastante.
— Não.

Ela pega uma tigelinha e começa a montar um prato.

— Ele está tão magro. Eu não estava preparada para isso.

Não digo nada.

— Mas ele ainda está lúcido. Como antes. Ainda é o Artie.
— Ainda é o Artie.

Elspa começa a comer com vontade.

— Você tem certeza de que não quer um pouco?
— Não, obrigada.

Ela fala mastigando.

— Ele estava me contando uma história sobre uma vez que...

Levanto a mão interrompendo-a.

— Não quero ouvir a história.

Elspa fica paralisada, depois continua a comer.

— Tudo bem.

Ocorre-me então que não me sinto um ladrão; é bem o oposto, sinto-me roubada.

— Aquele momento era meu.
— Desculpe, o que disse?
— Dar banho nele. Eu é que deveria fazer essas coisas, mas você as roubou de mim.
— Eu não tive a intenção...

— Está bem, esqueça.

Elspa pousa o garfo e olha para mim. Seus olhos castanhos são gentis.

— Ele traiu você, não é? É por isso que você o odeia. Quantas foram?

— Ele teve muitas mulheres antes de mim, e eu não sabia, mas ele manteve duas delas, suvenires.

— Ele não sabe se despedir.

— Esse é um bom jeito de colocar a questão — rebato, parando um instante para considerar o quanto eu odeio essa visão das coisas. — E daí ele acrescentou uma terceira. E foi essa terceira que eu descobri primeiro, e depois as outras duas. Quando foi a última vez que você esteve com ele?

Essa é uma pergunta justa. Faço-a com ousadia.

Mas ela não parece pega de surpresa, apenas direta.

— Antes de vocês se conhecerem. Eu comecei a trabalhar em um dos restaurantes dele quando ainda era bem nova — ela ainda me parece jovem. — Nossa, há coisa de seis anos eu cheirava a comida italiana o tempo todo. Artie chegou um dia para vistoriar. Não foi um relacionamento *daquele* tipo. Quero dizer, não sou uma das antigas *namoradas* dele ou algo assim. Ele foi mais como um pai para mim. Me ajudou num período difícil — ela faz uma pausa, ainda sentindo a dor de alguma lembrança.

Não tenho certeza se acredito.

— Mais como um pai? — pergunto.

— Faz muito tempo — responde ela. — Eu sobrevivi por causa do Artie.

Ela parece tão sincera que é difícil não acreditar. Seu rosto transmite uma franqueza direta, como se fosse ingênua demais para mentir.

A expressão dela se suaviza.

— Hoje ele me contou um monte de histórias sobre você; como vocês se conheceram, o casamento de vocês. É tão bonito. Mas a história de que mais gosto é a do pássaro na varanda.

— Me lembro vagamente dela.
— Você salvou o pássaro.
— Foi logo depois que nos conhecemos, o passarinho estava se debatendo nas persianas da pensão de um amigo. Artie é um covarde em vários aspectos. Ele tinha medo de pássaros dentro de casa. E também odeia voar de avião. Eu simplesmente abri a janela certa, só isso.

Mas agora eu repasso a cena em minha mente e então tudo parece tão certo, tão perfeito. Artie veio por trás de mim, me enlaçou em seus braços, e o pássaro voou por entre as árvores.

— Algumas vezes é o que basta, abrir a janela certa — comenta Elspa.

E eu gosto dela, aqui, neste instante, desse jeito. Eu preciso de alguém assim, alguém que não tenha medo de engrandecer o momento.

— Quando ele estava contando a história — prossegue ela — parecia tão vivo que até esqueci que ele está morrendo.

Gostaria de saber exatamente como Artie salvou a vida dela. Imagino-a de uniforme de garçonete, com a camisa vermelha, o crachá com o nome e o avental xadrez, segurando a bandeja de bebidas. Gostaria de saber por que ela veio na verdade e por que ela o ama tanto. Vou até a grande saladeira, pego um tomate cereja e o ponho na boca. É ácido e doce. Certamente ela acharia que Artie merece ver o filho antes de morrer. E ela está certa. Porque, mesmo tendo feito várias coisas erradas em sua vida, ele merece conhecer o filho. Não é esse um direito inalienável de um pai? E, mais importante, John Bessom — aquele jovem confuso — merece conhecer o pai.

— Eu queria que você me fizesse um favor — digo.

Ela olha para mim, esperançosa.

— É mesmo?

Capítulo 10

AMOR É AMOR — MAS ÀS VEZES É ABSTRATO, TRISTE E OBSCENO

Enquanto Elspa termina de comer, ligo para minha mãe do quarto de hóspedes. Sinto que preciso repassar isso com alguém. Mas enquanto explico meu plano — o que faço cuidadosamente, devo dizer — ela ainda parece confusa. Começo de novo.

— Os problemas são evidentes. Eu quero que Artie conheça o filho. E que o filho conheça o pai. Mas eu quero que seja o Artie a lhe revelar que é seu pai e que está morrendo. É dever dele, não meu. Então, eu estava pensando o que podemos fazer para que os dois se encontrem. E aí elaborei esse plano perfeito.

— Eles se encontrarem por causa de um colchão? — pergunta minha mãe com a voz fraca.

— Pela centésima vez, sim! Um colchão!

— Agora, deixe-me ver se entendi: você não quer ficar incumbida de convencer John Bessom a fazer o que quer que seja. Por que mesmo?

— Isso não importa. Não faz diferença.

Não quero ter que explicar que, se ele der em cima de mim mais uma vez e depois descobrir que sou sua madrasta, vai ser, digamos, bastante desconfortável.

63

— Ok. Que seja — conclui minha mãe. — Mas você vai fazer essa menina, que acabou de aparecer, que ama Artie por ele ter salvo a vida dela, convencer John Bessom a entregar um colchão aí pessoalmente?
— Exato.
— Bem, não entendi todas as etapas, mas parece um bom plano. E fico feliz por você estar fazendo algo. Acho que é saudável você continuar se movimentando. Passo aí daqui a pouco e vou cuidar para que Artie fique bem enquanto você estiver fora.
— Obrigada.
Logo depois, no caminho para a Butique Bom Sono Bessom, digo a Elspa o que ela tem que falar. Passo-lhe um roteiro que vai despertar em John a necessidade de vender coisas mais importantes que colchões. Ela vai assentindo com a cabeça.
— Entendi. Certo. Ok.
E então a conversa morre, e somos só nós duas no carro. Ela se inclina para a frente para mexer no rádio.
— O que você faz, Elspa?
— Sou artista.
— Ah, Artie gosta de artistas — ele gostava das fotografias que eu tirava e sempre me encorajou a achar tempo para seguir adiante com isso. — Que tipo de arte?
— Escultura.
— O que você esculpe?
— Homens, na maioria das vezes. Partes deles. Eu os deixo escolher.
— E Artie? Não me diga que parte ele escolheu. Será a que eu estou pensando?
— Ele tinha um ótimo senso de humor. Ele insistiu. Mas foi feito da minha imaginação. Fiz uma coisa abstrata. E azul.
— Abstrata e azul. Hum.

Subitamente visualizo uma escultura do pênis de Artie, azul e deformada. Abstrato como? Tento imaginar. Tudo da imaginação dela?

— Eu adoraria vê-la algum dia — digo.

Não importa se é da imaginação dela ou não. É íntimo, e, mesmo que ela tenha me dito que eles ficaram juntos antes que Artie e eu nos conhecêssemos e que não houve sexo no relacionamento deles, ainda dói. O ciúme agora anda sempre na iminência de vir à tona. Eu não poderia cantar para Artie enquanto lhe desse banho. Estou muito brava para fazer isso. A raiva é tão profunda em mim agora quanto a canção de Elspa dentro dela.

— Mesmo? — pergunta Elspa.

— Claro — respondo.

Há uma pausa. Não sei se ela sabe como interpretar meu tom. Não sei se eu mesma sei como ele *deveria* ser interpretado.

— Está chovendo.

Elspa aponta para o vidro salpicado de água; gotas se espalham em direção ao teto. Não digo nada. Ligo os limpadores. Eles rangem e arranham o vidro. Preciso comprar uns novos.

Estacionamos na frente da loja de Bessom no instante em que John está trancando a porta da frente. Ele está conversando com um homem de terno escuro que não parece estar comprando um colchão. O homem usa um guarda-chuva e tem um ar indiferente, frio, quase britânico. John segura um jornal acima da cabeça. Obviamente, não é uma conversa agradável. John levanta a mão como se dissesse "Vamos dar um tempo. Somos cavalheiros".

Abro minha janela alguns centímetros.

O homem de terno escuro diz:

— Nós precisamos resolver isso, sr. Bessom.

— Eu sei — concorda John.

O homem se afasta em uma direção, e John começa a andar na outra. A chuva diminuiu um pouco. Ele sacode o jornal. Cutuco Elspa e ela desce do carro. Observo-a passar na frente do veículo.

— Preciso de um colchão — diz ela.

— Acabei de fechar.

— É uma emergência.

— Um colchão de emergência? Olhe, meu caminhão de entregas quebrou a duas cidades de distância, e...

— O colchão é para um pai — argumenta Elspa, exatamente como a instruí. — Um pai que está morrendo. O filho dele está chegando para vê-lo antes que o homem morra, e o colchão tem que ser confortável — estou orgulhosa dela. Seu professor de teatro do colégio também ficaria.

— Bem, mas já fechei, não está vendo?

— Na verdade, eu não quero que você me venda um colchão. Quero que você me venda a paz para um homem à beira da morte, uma cena de leito de morte, um pai e um filho fazendo as pazes antes que o pai se vá.

John sorri para Elspa e depois olha para mim dentro do carro atrás dela. Ele me reconhece de antes, e consigo ver em seus olhos que ele sabe que eu a instruí quanto ao tipo de discurso para fazê-lo morder a isca. Ele acena. Brinco com o cinzeiro.

— Um pai e um filho? Adoro uma boa cena de leito de morte, acho. Você vai precisar de um colchão bem bacana para isso. O mais caro.

Felizmente, a chuva parou. John prende o colchão, envolto em plástico, no teto do carro, e ele e Elspa o seguram pelas janelas, um de cada lado. O colchão balança.

— E aí, tudo o que você faz é dormir na loja o dia todo? — pergunto.

— Eu não estava dormindo, estava fazendo uma demonstração.

— Para mim parecia que estava dormindo.

— Sou um ótimo demonstrador.
— E essas demonstrações vendem muitos colchões? — pergunta Elspa.
— Ele não vende colchões. Vende sono, sonhos e sexo — acrescento.
— E elas vendem muito sono, sonhos e sexo? — pergunta ela.
— Não muito. De qualquer forma, esse é só um dos meus negócios. Sou um empreendedor com uma grande variedade de projetos rolando.
— Projetos rolando?

Ele não continua. Em vez disso, olha para fora da janela, verifica o colchão objeto de nossa discussão, esse terreno de sono, sonhos e sexo. Passamos por um pedágio, e a operadora nos dirige um olhar incrédulo, como se ela já tivesse visto colchões voando do teto de carros. Ela parece meio dona do pedaço também, com um olhar que diz "Você está trazendo isso para minha estrada?". Mas consigo ignorar. Acho que meu plano está funcionando.

Chegamos ao bairro e começamos a rodar pelas ruas mal-iluminadas do subúrbio.

— Você não se importa se eu perguntar quem está morrendo?

Antes que eu tenha tempo de inventar algo — o que me é instintivo, por algum motivo —, Elspa responde:

— O marido dela.
— Sinto muito — lamenta John. — Sinto imensamente ouvir isso.

Alguma coisa na voz dele parece revelar que ele passou por alguma perda também. Todos nós temos nossas perdas.

Viro a esquina na minha rua e vejo a casa toda iluminada como se fosse Natal; todas as luzes acesas, e uma ambulância estacionada na frente com seus sinalizadores vermelhos girando. Um arrepio intenso me corre pelo corpo. A porta da frente está aberta. A luz se derrama sobre o gramado e pelas costas da minha mãe, no local em que ela se encontra em pé, de braços cruzados, olhando para a rua.

— É muito cedo — digo num sussurro urgente. — Ainda não. Ainda não terminamos!

— Que foi? — pergunta John.

Elspa contesta.

— Não, não, não, não.

Antes mesmo de alcançar a entrada da garagem, paro o carro e pulo para fora. O carro ainda anda um pouco para a frente e se choca com o meio-fio. Bato a cabeça ao pular para dentro de novo para colocá-lo em ponto morto. Derrubo as chaves na calçada e procuro pelo rosto de minha mãe. Ela apenas balança a cabeça.

— Não sei o que aconteceu. Mas chamei o serviço de emergência.

Começo a respirar pesadamente, como que prestes a hiperventilar. Cambaleio em direção à casa e paro na varanda. Elspa me ultrapassa correndo.

Me viro procurando John Bessom, que está de pé ao lado do carro e do colchão. Ele não desfaz as amarras. Sinto pena pois o rapaz não sabe no meio do que veio parar, mas, de todo modo, parece que chegou tarde demais. Fico paralisada arfante na varanda.

— E você deve ser o filho. Sinto muito — diz minha mãe a John.

Meio tonta dou um passo na direção deles, mas um passo que acontece tarde demais, pois percebo que esse é o modo como as coisas têm que se desenrolar. Minha mãe parece calma agora. Sei que ela vai se sair bem. Ela pega a mão de John, põe o braço em volta dele, maternalmente. De repente John parece um menino.

— Eles estão tentando salvar seu pai — diz ela. — Mas não sei...

John está confuso. Ele olha para a janela acesa do quarto.

— Meu pai? — pergunta ele. — Arthur Shoreman?

— Sim — diz minha mãe. — Artie.

Artie ainda não morreu. Eles estão tentando salvá-lo. Atravesso a porta da frente correndo e subo a escada. Arthur Shoreman, ouço minha mente repetir. Arthur Shoreman. Detesto a formalidade do nome. Soa como um nome num formulário, numa certidão de óbito. Ainda não, digo a mim mesma. Ainda não.

Entro no quarto. Artie está deitado na cama com um paramédico de cada lado, conversando em código, como sempre fazem. Há aparelhos. Eles estão fazendo um eletrocardiograma aqui? Não consigo ver o rosto de Artie.

O enfermeiro fica ao fundo, observando.

Elspa grita.

— Por que você não faz alguma coisa? — em pânico, ela cai sobre a mesa de cabeceira, derrubando tudo que estava em cima.

— Tire-a daqui — grita um dos paramédicos.

Seguro os braços dela e a arrasto para o corredor, onde a abraço e embalo. Ela se acalma e me agarra, chorando.

— Se ele morrer, eu morro! — afirma ela.

— Não, ele não vai morrer — digo.

— Eu não vou conseguir passar por isso — protesta ela.

Ainda não consigo aceitar que Artie pode já estar morto, que ali na cama pode estar só seu corpo. Eu não faço ideia de quanto tempo fico abraçada a Elspa, mas percebo que é a primeira vez que apoio alguém, desde longa data.

E então ouço a voz de Artie:

— Ei, sai pra lá! — grita ele.

— É bom ouvir isso! — se alegra um dos paramédicos.

Elspa me abraça mais forte.

— Ele voltou — sussurro.

Capítulo 11

Às vezes é difícil entender o que acontece quando seus olhos estão bem abertos

Tudo que se segue é meio surreal. Os paramédicos ainda estão trabalhando ao redor de Artie, agora até fazendo piada. Imagino o filho dele lá no gramado, o colchão, suponho, ainda amarrado ao teto do carrro. Elspa não consegue parar de chorar, embora Artie esteja miraculosamente vivo. Me inclino para dentro do quarto, um braço ainda em volta dela.

— Ele está mesmo de volta? — pergunto aos paramédicos. — Ele está bem?

— Ele nunca se foi, moça — diz um dos homens de costas largas. — Alarme falso. Tensão. Indigestão. Os problemas cardíacos dele são sérios, como a senhora sabe, mas ele está bem.

— Ouviu isso? — repito para Elspa. — Alarme falso. Tensão. Indigestão.

Artie vira a cabeça na minha direção. Seus olhos estão úmidos, e ele sorri nervoso.

— Ela já foi? — pergunta ele.

— Quê? — indago. — Quem? — fico me perguntando se ele está falando de Elspa. E isso me parece algo estranho de se dizer. Será que ele ainda está fora de si? Então Artie estremece e fecha os olhos.

— Alarme falso? — pergunta uma mulher com uma voz estranhamente familiar.

De repente, ela está ao meu lado, uma mulher alta, elegante, por volta dos cinquenta anos de idade, trajando um vestido azul claro justo e fumando um cigarro. Ela é bonita e tem um jeito inteligente, sobrancelhas arqueadas, maçãs do rosto altas. O cabelo castanho, na altura dos ombros, está preso na base do pescoço com uma presilha de prata.

— Quem é você? — pergunto.

— Sou Eleanor — responde a mulher, como se isso explicasse tudo.

Simplesmente olho para ela, balançando a cabeça. Meus ouvidos zumbem. Artie quase morreu, agora ele está vivo.

— Você me chamou — explica a mulher pacientemente. — Pensei que eu só quisesse que Artie apodrecesse no inferno, mas depois decidi que eu gostaria de vê-lo antes de ele morrer.

Ela passa a mão para limpar alguma coisa na saia. Ah sim, agora eu me lembro da voz, é a mulher para quem liguei tarde da noite, bêbada; aquela que mandou uma mensagem tão doce para Artie. Ei-la. Mais uma de suas queridinhas. Uma chegada espetacular.

— Não seria maravilhoso se Artie pudesse fazer as pazes com seu passado, todo ele, antes de morrer? — acrescenta ela.

— Você não deveria fumar aqui — adverte Elspa, recuperando um pouco a calma.

Eleanor sorrri para Elspa como se ela tivesse dito algo ponderado mas sem importância.

— Eu quase nunca fumo. Esse é um cigarro de emergência. Só isso — e então ela se vira para mim e diz com um leve suspiro: — Eu acho que a minha presença aqui pode tê-lo perturbado.

— Você acha? — berra Artie da cama.

— Sua mãe precisou chamar a emergência — diz Eleanor calmamente. — Acho que devo tê-la perturbado também.

71

— Você tentou matá-lo ou algo assim? — pergunto.
— Oh, não — responde a mulher com um sorriso malicioso. Ela levanta a voz para que Artie possa ouvi-la bem. — Matar o Artie não me tornaria mais importante na vida dele. Ele nunca me concederia essa honra.
Eleanor, digo a mim mesma, *acho que gosto dela*.

Digo a Artie que estarei de volta em alguns minutos e o enfermeiro me informa que ficará para prepará-lo para dormir. Levo Elspa e Eleanor rapidamente para o andar de baixo e noto que Eleanor anda mancando, num ritmo descompassado, embora esteja usando sapatos de salto alto. É um manquitolar intrínseco, não do tipo que vem de uma bolha no pé ou um tornozelo dolorido.

— Por que você não se senta aqui um minuto? — sugiro a Eleanor, apontando para as cadeiras no cantinho do café da manhã. — E pegue uma bebida.

— Prefiro estar sóbria.

— Tudo bem, então.

Ela se senta elegantemente, cruzando os tornozelos.

Conduzo Elspa até o quintal ao lado da piscina e peço a ela que me espere ali, porque voltarei para buscá-la. Os soluços ainda vem e vão, seus braços envolvendo os ombros, as costas curvadas. Não sei se ela sabe onde está, ou se consegue ouvir o que estou dizendo.

Ignorando Eleanor por um momento, volto rapidamente para a casa com a urgência de uma emergência menor — um incêndio no forno ou uma festa que terminou mal. Artie deve ser o convidado de honra, mas, sendo eu a anfitriã, devo cuidar dos convidados carentes. Saio pela porta da frente. Um dos paramédicos está empacotando as coisas. A luz da casa dos vizinhos do outro lado da rua está acesa. Os Biddles — Jill e Brad — se movimentam por trás de suas janelas nos observando.

O vizinho do lado, sr. Harshorn, é mais atrevido; simplesmente está em pé no seu jardim com os braços cruzados contra o peito e acena para chamar minha atenção, mas eu o ignoro.

Minha mãe ainda está ao lado de John Bessom, mas nenhum dos dois diz qualquer coisa.

Quando me aproximo deles, vejo que minha mãe andou chorando, sua maquiagem está borrada, mas John permanece impassível.

— Sou o filho — diz ele, — na cena do leito de morte do pai?

Minha mãe olha para John e depois para mim com a mesma expressão — uma solidariedade doída.

— Um dos paramédicos nos contou que ele está vivo.

— Sim, ele está vivo. Foi um alarme falso — não tenho certeza se John está bravo ou não. Não sei como ler suas emoções.

— Eu queria que você e Artie conversassem. Ele deseja muito ver você — me interrompo abruptamente.

— Sinto muito pelo seu marido — ele se solidariza balançando a cabeça. — Mas não preciso conhecer Artie Shoreman.

— Tudo bem — respondo. — Eu entendo — mesmo não entendendo.

— Vou chamar um táxi. Mando alguém vir pegar o colchão amanhã.

— Eu pagarei pelo colchão.

— Você ainda o quer?

— Não, mas não podemos devolvê-lo. Nós o amarramos a um carro, é mercadoria danificada agora. Eu insisto em pagar.

— Eu não poderia aceitar seu dinheiro. Alguém virá e o levará embora amanhã.

— Eu ligarei para você. Posso mantê-lo atualizado sobre Artie, se você quiser...

— Tenho certeza de que ele é uma boa pessoa.

John dá de ombros e enfia uma mão no bolso, quase sorri. Ficamos ali por um momento meio sem jeito. Ele pega o celular.

— Vou chamar um táxi — mas hesita. — Artie Shoreman sempre nos deu apoio financeiro. E fico agradecido por isso, mas não há nada além disso entre nós. Não seria correto... Enfim, não sei o que dizer — ele está encantadoramente triste. Uma rajada de vento balança sua camisa, seu cabelo.

— Também não sei o que dizer — admito.

— Fico feliz de ter sido um alarme falso — diz ele. — No carro, você falou que ainda não tinha terminado. Não sei o que não terminou, mas talvez agora ainda haja tempo, para você e Artie.

Tinha esquecido que eu dissera isso. Não queria que Artie morresse tão cedo, ainda temos tanta coisa para resolver.

— Você está certo — concordo. — As coisas estão complicadas entre nós. E ainda também haverá tempo para você e Artie se reencontrarem.

— Na verdade eu nem cheguei a conhecê-lo, só o nome num cheque, e não sei se preciso disso agora — diz ele e caminha para a calçada e abre o telefone, que se ilumina, um brilho azul em suas mãos.

Minha mãe me segue de volta para a varanda.

— Você está bem?

— Estou ótima — respondo, mas meu tom é indiferente demais. Eu mal acredito em mim mesma. Seguro minha mãe pelo cotovelo antes de voltarmos para dentro. — Você deixou aquela mulher chamada Eleanor entrar?

— Nem comece a falar na Eleanor — diz minha mãe como se conhecesse a mulher de longa data. — Ela tem que ir embora.

— Verdade?! — exclamo.

A opinião de Eleanor a respeito de Artie me volta à cabeça. Ouço-a dizendo "Não seria maravilhoso se Artie pudesse fazer as pazes com seu passado, todo ele, antes de morrer?". E como havia algo ameaçador, mas muito verdadeiro nisso.

Quando voltamos para dentro de casa, minha mãe me diz:
— Eu me livro da Eleanor. Não se preocupe.
Vamos para a cozinha e Eleanor não está lá.
— Bem, aí está. — constato. — Ela encontrou a saída sozinha.
Minha mãe vai até a porta francesa que dá para o pátio da piscina e aponta.
— Seria muita sorte.
Lá está Elspa, sentada numa cadeira reclinável, e, na frente dela, Eleanor ouvindo-a atentamente. Parecem imersas na conversa — mas sobre o que estão falando? Não consigo imaginar que tanto assunto as duas possam ter em comum. Estariam elas discutindo, por exemplo, a escultura azul abstrata do pênis de Artie? Talvez. Mas o que é que eu sei sobre Eleanor afinal?
— O que vamos fazer? — pergunto à minha mãe, nós duas olhando pela porta de vidro.
— Não sei — responde ela fechando nervosamente o zíper do agasalho de veludo. — Acho que vamos terminar herdando Elspa, com suas tatuagens, *piercings* e tudo o mais. Você deveria verificar se ela está no testamento de Artie.
Isso me espanta, talvez por parecer tão provável.
Passamos ambas para o pátio de pedra. A grama bem aparada se espalha além da piscina, que brilha com a luz subaquática.
— Elspa?
Ela não se vira.
Eleanor acena para nós.
— Sentem, sentem — convida ela, com uma ternura imperativa. — Isso é importante — e então ela se vira para Elspa. — Continue. Conte-nos.
Minha mãe e eu nos entreolhamos e então nos aproximamos lentamente. Sentamos no local indicado por Eleanor. Ela é do tipo de pessoa que você obedece instintivamente.
Elspa começa a falar.

— Ele derrubou a porta do meu apartamento para me salvar. Estava acontecendo uma parada e por isso as ruas estavam todas bloqueadas. Ele me levantou e então me carregou para o pronto-socorro, com o braço enrolado numa toalha ensanguentada. Eu me lembro dos balões balançando no céu e da falta de fôlego dele e de como eu conseguia sentir o coração dele batendo no peito mais alto que o meu. E ele apenas dizia "Não feche os olhos. Não feche os olhos".

Não sei o que dizer, o que fazer com minhas mãos. Olho para minha mãe, como se eu fosse realmente uma criança querendo saber a reação apropriada para uma situação como essa. Mas que situação é essa? Consolar a ex-namorada, jovem demais, do meu marido na noite em que ele quase morreu? Minha mãe se inclina para a frente. Seu cabelo se despenteia com a brisa. Talvez, pela primeira vez na vida, sinto inveja da sua maquiagem. Suas reais emoções podem estar escondidas em algum lugar sob a complexidade de cores e formas.

Elspa continua:

— Estou viva por causa dele. E agora ele vai morrer. O que vou fazer sem ele? — ela esfrega o pulso esquerdo. Puxa a manga e nos mostra as cicatrizes finas. — Eu estava completamente fora de mim. E fiz um trabalho porco.

Eleanor, que antes parecia tão fria e austera, toca o ombro da garota. Elspa encosta o queixo delicado no peito e fecha os olhos bem apertados.

Nem minha mãe nem eu sabemos o que falar. Não estamos preparadas para tanta honestidade e ternura.

É Eleanor que se inclina para ela e sussurra:

— Não feche os olhos.

Elspa abre os olhos lentamente, levanta a cabeça, olha para Eleanor e então para mim e para minha mãe. Embora seu rosto esteja molhado de lágrimas, ela sorri — apenas com o canto dos lábios.

Acho o caminho de volta para o quarto. Os paramédicos se foram, e o enfermeiro também já se prepara para ir embora. Posso ouvi-lo saindo da garagem. Deixei Elspa, Eleanor e minha mãe conversando no escuro, lá fora, ao lado da piscina. Artie se move na cama e então olha para mim como se tivesse sentido minha presença — ou talvez tenha apenas percebido que havia alguém. Poderia ser qualquer uma das mulheres nesta casa. Não posso levar tanto para o lado pessoal, acho. Suas pálpebras estão pesadas.

— Alarme falso — digo. A única luz no quarto é o pouco que entra da iluminação da rua.

— Quando sugeri que você chamasse minhas queridinhas, eu devia ter avisado para pular Eleanor.

— Você não achou que eu fosse chamá-las.

Ele sorri para mim.

— Pela primeira vez na vida, subestimei você.

— Tenho que confessar que gosto da Eleanor. Ela é... complicada.

— Ela é um grande pé no saco.

— Ela é esperta.

— Ela está aqui só para me torturar.

— Talvez seja isso que eu goste mais nela. Quando vocês dois tiveram um romance?

— Tiveram um romance?! Se você fosse sua mãe, eu teria que lhe dizer que as pessoas não usam mais falar assim.

— Quando vocês namoraram?

— Não sei. Não muito antes de eu conhecer você. E não terminou muito bem.

— Por quê?

— Porque a Eleanor é a *Eleanor*.

— E que idade a Elspa tinha quando vocês namoraram?

— Elspa — diz ele com um suspiro suave. — Ela precisava de mim, e eu não tive escolha — quero fazer mais perguntas, mas ele parece exausto e fecha os olhos. — Eu quero que você converse com Reyer — é o contador do Artie. — Quero que ele lhe explique algo. Há coisas que você precisa saber.

Artie e eu sempre mantivemos nossas contas separadas. Ambos já tínhamos nossas profissões quando nos casamos. Eu insisti para que dividíssemos tudo, mas que nosso dinheiro nunca se misturasse.

— Eu ia dar um jeito para que ele conversasse com você depois da minha morte, mas acho que assim posso pelo menos responder algumas perguntas.

— Vai haver muitas perguntas? Um interrogatório formal? Espero que não. Eu cobro muito caro por interrogatórios formais.

Ele não responde ao meu discurso de auditor — as pessoas normalmente não o fazem.

— Você vai conversar com ele?

— Vou.

— Estou cansado.

— Vá dormir — digo me encostando no batente da porta.

A respiração dele rapidamente se torna pesada e rítmica. "Não terminamos ainda", falo para mim mesma. "Temos algum tempo, mas não muito." A luz da janela incide sobre o corpo de Artie. Chego mais perto e vejo Eleanor se encaminhando para seu carro. Ela anda com passos rápidos e inseguros. O carro está estacionado um pouco acima na rua. Depois de destrancar o carro, ela olha para cima. Está escuro. Eu sei que ela não pode me ver, mas mesmo assim sinto que ela sabe que estou aqui. Por alguma razão estranha, penso que de alguma forma vou precisar dela. Ela fica olhando por um momento e então entra no carro e parte.

Puxo as cortinas e me viro para olhar Artie. O lençol sobe e desce acompanhando sua respiração. Deito na cama, de leve para não acordá-lo, meu corpo curvado sobre o dele. Observo o contorno de seu rosto no escuro.

E então ele abre os olhos vagarosamente, e fico constrangida por ter sido pega nessa situação, tão perto dele. Sento-me, e Artie me diz em um tom suave:

— Não foi um alarme falso.

— Não?

— Foi um ensaio.

Não é possível que Artie esteja morrendo. É irreal, um mal-entendido, uma confusão burocrática, algo que poderia ser resolvido com alguns telefonemas. Sei que não tenho desempenhado bem o meu papel de esposa, mas ainda me parece que caberia a mim decidir sobre a iminente morte do meu marido. Gostaria de explicar para alguém no departamento de mortes fora de hora que eu não aprovei nada disso. Tudo me soa ridículo, eu sei. Mas é assim que minha cabeça está funcionando no momento.

— Você está com medo? — pergunto.

Ele fecha os olhos e nega com a cabeça.

— Isso coloca as coisas de um jeito suave demais.

Eu não esperava que ele fosse tão honesto. Me pergunto se ele está sendo reduzido a uma versão mais pura de si mesmo, como um sabonete que vai se gastando até desaparecer. Decido mudar o rumo da conversa.

— Tripé — digo, — se for menino, e Espátula se for menina. Continuei colecionando.

Era nosso velho jogo de dar os nomes mais ridículos para nossos bebês imaginários. Contar a Artie que continuei a jogá-lo é uma grande confissão.

Ele entende e olha para mim com ternura, gentilmente. Nossos bebês — aqueles que nunca teremos. Ambos sabemos que houve um pequeno espaço de tempo em que eu podia ter engravidado — dois meses que quase não existiram e agora parecem uma parte minúscula e frágil de nosso relacionamento. E então descobri as infidelidades e parti, incapaz de lidar com as coisas reais, nem mesmo a papelada para começar o divórcio, ou outra conversa honesta com Artie sobre traição. Agora nossos bebês serão apenas imaginários. Ainda penso sobre eles e sinto sua falta. Sinto falta daquela versão de Artie que iria ser papai. Esse é um território perigoso, mas eu gostaria de dar algo a Artie agora, depois de quase perdê-lo.

— Paquímetro — diz ele. — Argila. Para ambos os sexos, na verdade. E para aqueles bebês que nascem parecendo velhinhos: Meio-fio. Velho e bom Meio-fio Shoreman.

— Eu gosto de Encolhido para o bebê velhinho — digo. — Contudo, meus dois favoritos agora são Lareira e Ironia.

— Lareira Ironia Shoreman — pronuncia Artie. — Gostei.

Ele sorri para mim com tanto amor, com o peso de toda a nossa história juntos, que subitamente tenho medo de ter cedido demais. Quero que as coisas fiquem claras. Quase digo a ele que o fato de eu me deitar ao seu lado não significa que tudo esteja perdoado.

Mas decido não falar nada. Não agora. Ele está com medo, talvez apavorado. Toco sua face com as costas da mão, depois me levanto e vou até a cadeira ao lado da janela.

— Descanse um pouco — digo. — Feche os olhos.

Capítulo 12

NÃO SE PODEM RESOLVER SEMPRE OS PROBLEMAS COM COMIDA
— MAS SE QUISER TENTAR, COMECE COM CHOCOLATE

Já é de manhã e uma luz difusa se acumula nas bordas das cortinas do quarto formando uma espécie de moldura que confere a elas um quê de sagrado. Artie dorme abraçado a um travesseiro. Me levanto e saio rapidamente do quarto. Embora eu saiba que é errado, não quero que Artie, minha mãe ou Elspa descubram que passei a noite ali. Seria admitir um excesso de ternura.

Ao descer as escadas, noto imediatamente que minha mãe dormiu aqui outra vez. Há cheiro de bacon e ovos... e chocolate? Ela sentiu o golpe de quase perder Artie e agora teve um acesso de cozinheira, como se, de um jeito antiquado, pudéssemos sair dessa comendo.

Passo pela sala de estar, paro e olho para o sofá. Elspa não está lá. Fico imaginando se ela foi embora e me surpreendo por sentir uma certa tristeza, uma dor de saudades. Mas então vejo sua mochila no canto e dobrados sobre ela meus lençóis e cobertores. Não, ela ainda está aqui. E minha mãe está se ocupando das refeições. Ela assumiu o comando.

Volto para o quarto de hóspedes e me visto — jeans e camiseta. Escovo os dentes, lavo o rosto e observo meu reflexo no espelho. Estou carregando todo esse peso. Minha expressão é de dor. Sinto uma tensão, uma rigidez na face e no pescoço e também marcas de esgotamento ao redor dos olhos. Me pergunto se é essa a cara do sofrimento.

Entro na cozinha, e ali está minha mãe em toda a sua glória frenética. Ela coloca para assar uma assadeira de biscoitos crus, e observo sua calda de chocolate caseira cozinhando no fogo, o que indica a gravidade da situação; tão grave que só o chocolate é capaz de nos salvar. Ela parece saber que estou aqui, sem sequer ter olhado em minha direção.

— Estive pensando na coisa toda — diz minha mãe. — Sei que tudo vai começar a cair na sua cabeça muito rapidamente. E quero proteger você o máximo possível — ela coloca os biscoitos salvadores no forno, liga o *timer* e se vira para mim, me encarando pela primeira vez. — Tudo bem. Ouça, eu já passei por isso. Antes de tudo, você tem que resolver as coisas práticas.

Vejo Bogie esticado no chão. Ele não está usando seu suporte genital e parece um homem em férias.

— Bogie está pelado — observo.

— Eu sabia que ele viria para cá e o chão de ladrilhos da sua cozinha é muito escorregadio.

— Acho que sim — digo.

— Escute — continua ela. — Há coisas práticas a serem resolvidas antes de tudo. Você está me escutando?

— Coisas práticas...

— A noite passada me fez perceber que há questões que ainda precisam ser solucionadas — ela suspira e continua: — Uma jovem do seu trabalho tem ligado direto. Eu não contei nada a ela, mas a moça é muito...

— Ansiosa? — ajoelho e faço carinho em Bogie. Ele tem um pelo macio e dentinhos tortos que parecem ter sido polidos há pouco tempo.

— Sim. Você devia ligar para ela.

— Lindsay está sempre ansiosa.

— E seu contador também ligou. Ele teve uma conversa com Artie ontem e descobriu que você está de volta. Ele quer discutir alguns detalhes; melhor agora do que mais tarde. Ele disse que você pode passar lá quando quiser.

Lembro-me agora que prometi ao Artie que eu conversaria com Reyer, embora não tenha a menor vontade de fazer qualquer coisa que lembre, mesmo que remotamente, verificar livros de contabilidade.

— Há inúmeros detalhes, e é melhor resolvê-los antes. Artie mencionou alguma preferência?

— Não — respondo, percebendo quão pouco Artie e eu conversamos sobre morte, funerais e todos esses detalhes práticos. Não quero falar sobre isso agora. — Não acho que eu conseguiria dizer a palavra *funeral* na frente dele.

Minha mãe vem até mim e me segura pelos ombros. Ela sabe o que me espera, afinal já enterrou alguns maridos antes. Eu sei que ela está tentando me transmitir um pouco de sua força. Então uma de suas mãos segura meu rosto por um momento. Normalmente — desde o rompimento — eu não teria sido capaz de lidar com esse tipo de carinho, mas é bom ser olhada assim.

— Onde está Elspa? — pergunto.

— Ela ainda está abalada. Disse que estava planejando passar algum tempo com Artie esta manhã.

— E Eleanor? O que ela falou quando foi embora? Vai voltar?

— Vamos sair para tomar café e ir ao cabeleireiro juntas às quatro e meia.

Ela e minha mãe lado a lado no Starbucks e no salão? É difícil de imaginar. Eleanor vai estar sempre por aqui agora? Minha mãe vai até o balcão e retira uma toalha de papel de cima de um prato de bacon.

— Você quer comer?

Balanço a cabeça negativamente.
— Obrigada — digo.
— Pelo quê?
Gesticulo com a mão pela cozinha querendo dizer tudo.
— Claro. É para isso que servem as mães.

Encontro Elspa sentada numa cadeira ao lado da cama onde Artie dorme. Ela esfrega os pés descalços no carpete, olhando pela janela as árvores distantes, o céu claro e a copa verde das árvores, e cantarola baixinho.
— Elspa?
Ela se vira para mim e percebe o que deve ser uma expressão preocupada em meu rosto.
— Você está bem?
A jovem volta a olhar para a janela.
— Estou bem. Só estou triste, acho. Estou apenas tentando entender como vai ser.

Penso nas marcas de lâminas em seu pulso, as que ela mostrou na noite passada na piscina. Não sei se acredito que ela está bem. E, enquanto a observo, vou ficando mais nervosa.

— Estou indo ao escritório do contador, mas posso adiar, se você quiser. Quero dizer, nós podíamos ir almoçar?

Não sei o que pode acontecer se tudo isso atingi-la muito profundamente. Lembro-me de ouvi-la dizer na noite passada que ela morreria junto com Artie, que não conseguiria sobreviver a isso.

— Não, obrigada. Prefiro ficar assim, se não tiver problema. Eu posso ajudar a Joan. Vou me preparar. Em alguns minutos, já poderei ser útil.

— Tudo bem — digo a ela. — Isso seria ótimo.

Racionalmente, não acho que ela vá tentar se matar de novo, mas não consigo deixar de tomar algumas precauções. Antes de sair, me pego passando em todos os banheiros, recolhendo em uma sacola as lâminas e remédios para dormir e escondo tudo no armário do quarto de hóspedes.

Minha mãe e o enfermeiro —aquele a quem dei o nome de Todd — estão conversando na cozinha, enquanto ele prepara as medicações e o café da manhã de Artie. Eles discutem sobre fibras e arrumam as pílulas em copinhos de papel.

Vou para o carro e vejo que o colchão não está mais lá. Alguém veio e o levou, como John Bessom havia prometido.

Capítulo 13

Não deixe seu marido ter seu próprio contador

Munster, Feinstein, Howell e Reyer é o típico escritório de contadores da elite — as plantas lá são de verdade. É de fato uma firma tão cara que a única coisa de mentira lá dentro é a recepcionista, embora ela pareça bem regada e podada. Não lembro se é Feinstein ou Howell que está tendo um caso com ela. Munster já morreu, e Bill Reyer é todo certinho, motivo pelo qual Artie o escolheu, ironicamente. Nunca estive aqui antes. Só sei essas coisas porque Artie adora contar histórias. Ele era tão bom nisso que podia fazer até mesmo uma firma de contabilidade parecer intrigante.

Digo à recepcionista quem sou e quem estou procurando.
Ela fala de forma gentil:
— Sente-se, por favor.
Olho para a pilha de revistas e para o bebedouro e me sinto inquieta. Ligo para Lindsay, do celular, para saber se está tudo bem.
Ela atende ofegante:
— Alô?
— Onde você está? — pergunto.

— Onde *você* está? — ela repete, enfatizando as palavras com uma agressividade na voz que não reconheço.

Ignoro o tom, principalmente porque não sei o que significa.

— No escritório do contador, do tipo chato — sussurro.

Esse é o tipo de escritório de contabilidade que me deixaria louca. Eu sei, eu sei, pilhas de números são pilhas de números para a maioria das pessoas, mas esse lugar me parece tragicamente tedioso. Em auditoria há sempre uma caçada em andamento. Eu prefiro assim.

— Está tudo bem? — pergunta Lindsay, relaxando um pouco.

— Sim, por enquanto.

— Bem, então vá se danar!

— O quê?

— Você me ouviu.

Isso é um choque completo. Lindsay sempre foi tão subserviente, tão excessivamente agradável. Me remexo um pouco na cadeira e abaixo a voz, tentando obter um pouco de privacidade.

— Eu ouvi você, mas não sei o que está acontecendo.

— Você desligou na minha cara, e eu tive que trabalhar lado a lado com o Danbury, sozinha, e você sabe como ele é assustador. É um gigante com mãos gigantes e aquela cabeça enorme e quadrada. Ele não foi demitido, mas houve todo esse negócio com a comissão de valores mobiliários.

— E... Como foi?

Há um instante de silêncio. Lindsay está pagando alguma coisa. Ouço uma conversa com um vendedor.

— Tudo bem — responde ela por fim. — Foi tudo bem.

— Isso é ótimo então, Lindsay. Deu tudo certo.

— Sem a sua ajuda!

— Mas é isso — digo a ela. — Você resolveu tudo sozinha, sem nenhuma ajuda minha. Exatamente.

— Oh — exclama ela, mudando o tom. — E isso é bom.

— Isso é bom.
— Ok — diz ela. — Então não vá se danar.
— Está tudo bem, — concordo. — Você não precisa mandar que eu não vá me danar.
— Tem certeza?
— Sim.
— Também consegui uma promoçãozinha — conta ela.
— Que ótimo!
— É pequena, mas me dá um pouco mais de poder, o que é importante enquanto você está fora.
— É um passo para cima. Você merece.
A recepcionista está na minha frente agora e diz:
— Eu a levarei lá para trás.
Num breve instante de desorientação, penso que ela quer dizer que ela vai me levar de volta para o passado; vai me fazer voltar para um tempo anterior, mais feliz, é o que eu gostaria que acontecesse. Olho para ela por um momento e então me despeço de Lindsay e fecho o celular.
— Siga-me — diz ela.
Meus olhos acompanham o babado da bainha de sua saia incrivelmente justa e curta. Quando chegamos à porta de Bill Reyer, ela me pergunta se quero café, mas seu tom é tão artificial que não consigo nem levar a sério essa simples oferta.
— Não, obrigada — agradeço.
Ela abre a porta, e Bill se levanta de um pulo para me cumprimentar. Ele caminha nervoso, como que assustado pela sombra de seus imensos livros de leis contábeis; pega minha mão.
— É tão bom conhecê-la finalmente. Artie sempre falou coisas maravilhosas a seu respeito.
— É?
— Claro — responde Reyer, mas o "claro" dele sai animado demais, ou talvez na defensiva, ou quem sabe um tanto estranho mesmo. Ele tosse para recuperar o tom sombrio.

Um silêncio desconfortável se faz. Silêncio de contador. Ele anda até a escrivaninha e me faz sinal para que eu me sente. As cadeiras de couro rangem.

— Sim, e sinto termos que nos encontrar em circunstâncias tão difíceis. Como está o Artie hoje?

Ele fala como se tivesse lido o capítulo "Como consolar uma futura viúva", do livro *Como ser um contador elegante*. A formalidade, o profissionalismo, é tudo incrivelmente calmante. Estou em uma reunião de negócios. Endireito-me na cadeira.

— Levamos um susto a noite passada. Mas ele está bem hoje, — comento. — Gostaria de acabar logo com isso, se possível.

— Há contas separadas, o que complica um pouco as coisas, mas Artie deixou claro que tudo deve ir para você. A certidão de óbito leva uns nove dias, e depois a apólice do seguro....

— Na verdade eu não preciso do dinheiro. Eu ganho o suficiente — interrompo, sem razão.

— Bem, mas é seu de qualquer forma. Para dispor como achar melhor. Exceto...

Ele remexe os papéis. Não gosto da pausa, nem da sua atuação e já sei que chegamos à parte que ele estava evitando. Ele também deve ter procurado conselhos no capítulo chamado "Como divulgar informações arriscadas para futuras viúvas", mas não ajudou muito. E agora tenta ganhar tempo, preocupado, querendo me passar a ideia de que ele não é muito organizado. Faça-me o favor! Ele é contador, um ótimo contador ainda por cima; não precisa ficar remexendo esses papéis. Só precisa soltar a língua.

— Na realidade, ele assumiu alguns compromissos financeiros, apesar de legalmente eles não serem mais seus.

— Pagamentos?

— Bem, ele manda um cheque para Rita Bessom todo mês, de um fundo específico, e tem feito isso nos últimos trinta anos. Ele começou muito jovem, na verdade, mandando o que podia e, como você sabe, essa quantia cresceu.

A mãe de John Bessom. Rita Bessom. Artie mandou cheques para ela todos esses anos? Tento imaginar Rita Bessom descontando os cheques e dando o dinheiro para seu filho adulto, ou não. Talvez ela guarde tudo para si mesma. Rita Bessom. Tento imaginar como ela é, onde ela mora.

— Bessom? Ainda?

Ele tosse de novo, desconfortável.

— Por que ele não os mandava para o filho?

— Acho que ele tentou entrar em contato, mas o menino, John Bessom, não queria nada dele. Bem, ele não é mais um menino. Quero dizer, creio que deva ter a sua idade agora...

E então Reyer percebe que cometeu uma gafe, insinuando que Artie é velho o bastante para ser meu pai. E eu me dou conta que John Bessom é um homem da minha idade. De cara, eu o tinha colocado numa categoria mais inocente, a de filho do Artie, e tentei mantê-lo ali, como se ele fosse para o escritório nos fundos da Butique Bom Sono Bessom para brincar com soldadinhos de plástico verde; e esse lembrete de Reyer não ajuda em nada. Ele logo se recupera de seu engano.

— Mas Artie acredita que o sustento de um filho não termina quando ele completa dezoito anos. Ele quis que continuasse.

— O dinheiro chega até o filho?

— Os cheques vão para Rita, e ela os desconta. É só o que sabemos.

Fico ali sentada, assimilando essa informação. John acha que não há ligação alguma entre ele e Artie agora, mas concorda em aceitar o dinheiro? Ele esteve recebendo uma mesada esse tempo todo — o suficiente para começar o próprio negócio? Ou a mãe guarda tudo para si mesma? Que tipo de família é essa?

— Você sabe que o espólio de Artie é grande.

— Claro — digo. — Ele montou uma rede de restaurantes. Claro que é grande.

— Você é auditora, não é?

Faço que sim com a cabeça.
— Você não quer saber todas as cifras?
— Não.
— Por que não? Tem gente que vem aqui e quer ver os números, sem ter ideia do que querem dizer. Você com certeza saberia. Por que não quer?
— Porque *sou* uma auditora.
Essa resposta faz sentido para mim, mas consigo perceber que para Reyer não. O que eu quero dizer é que é pessoal demais. Não há médicos que preferem não saber os detalhes das próprias enfermidades, mesmo quando se trata de sua especialidade? Quero que Artie seja Artie, isso já me dá o bastante com que lidar. Não quero que ele se torne seu patrimônio.
— Mas você tem algo mais a me dizer além de números.
Reyer ainda parece horrivelmente desconfortável.
— O que é?
— Artie quer deixar uma quantia para John Bessom.
— Ele disse quanto?
— Não, ele não especificou. Prefere que você decida quanto, para que você se sinta à vontade com a situação.
— Ele quer que eu decida? Para que eu me sinta *à vontade*?
— não estou à vontade e não acho que consiga ficar.
O contador tosse de novo e remexe os papéis. Ele não terminou.
— Há mais alguma coisa? — pergunto.
— Um outro cheque mensal sustenta um fundo de arte. Ele gostaria que esses cheques também continuassem todo mês.
— Um fundo de arte?
— A E.L.S.P.A, você conhece?
A princípio, o nome soletrado faz Elspa parecer uma agência do governo. Levo um minuto para entender. E aí a ficha cai.
— A ELSPA — digo. — Sim, eu conheço.

Olho para as janelas. É com isso que ele temia se atrapalhar se ele mesmo tivesse que me contar? É isso que ele não teve coragem de me dizer? Tudo bem. Ele tem dado dinheiro a Elspa e, agora que a conheço, entendo por que ele o faz. Mas fico furiosa que ele tenha guardado mais esse segredo de mim — quantos mais existem? — mas tudo bem. Tudo bem.

— Artie e suas caridades — digo sem emoção, enquanto minha cabeça se agita.

O que Reyer sabe? Provavelmente mais do que demonstra. Agora eu quero alguns detalhes.

— Diga-me o que você sabe. Há mais. Eu sei que a E.L.S.P.A. não é uma organização sem fins lucrativos e, portanto, esses pagamentos não podem ser deduzidos do imposto de renda.

E então eu sei exatamente a única pergunta para a qual preciso de uma resposta:

— Quando esses pagamentos começaram?

— Artie disse que ela precisava de uma reviravolta na vida e quis lhe dar essa oportunidade. Assim, com muita benevolência, ele abriu essa conta — Bill Reyer olha para as mãos e as flexiona.

— Quando esses pagamentos começaram?

Ele mexe em alguns papéis, mas eu sei que ele sabe.

— Hmmmm — diz ele, como se esse pedaço da conversa fosse tão pouco relevante que lhe fugiu da mente. — Ah, aqui está. Dois anos atrás. Em julho — ele mantém os olhos fixos em suas mãos.

— Os pagamentos começaram há dois anos? Dois anos?

Artie e eu estávamos casados quando eles se conheceram, na época em que os pagamentos começaram? Elspa me garantiu que o relacionamento com Artie aconteceu antes de nos casarmos. Elspa é uma das três de Artie? Mas, na verdade, nem faz mais diferença agora, se havia três outras mulheres ou quatro ou dezoito. Artie me traiu, e Elspa mentiu para mim.

— Legal — murmuro. — Muito legal.

Reyer olha para mim com ar suplicante.

— Eu disse a Artie que seria melhor que ele mesmo explicasse tudo isso; eu esperava que nesse tempo que resta ele tivesse... Recosto na cadeira e rapidamente junto minhas coisas. Artie queria alguém mais jovem que eu? Ele preferia os traços mais delicados dela? Ela é melhor na cama? Vejo o rosto de Elspa em minha mente — a inocência, a doçura. Springbird é só um nome em minha imaginação, mas Elspa é real, inegavelmente real. Lembro-me da escultura — abstrata e azul — fruto da *sua imaginação*!

— Tenho que ir.

Alguma coisa se partiu em mim. Achei que tivesse assimilado o golpe da traição, mas essa dor é mais profunda.

— Ainda não terminamos... — ouço Bill dizer enquanto me levanto e me encaminho para a porta. — Não resolvemos nenhum detalhe, ainda não chegamos a nenhuma conclusão.

As coisas estão confusas, fervendo, e um zumbido cresce nos meus ouvidos junto com o barulho surdo dos meus passos no corredor.

— Senhora? — a recepcionista me chama — Há algo errado?

Aceno com a mão como uma bandeira de rendição.

— Sinto muito — digo, sem parar. — Eu tenho que ir.

Capítulo 14

Não se afogue

Estaciono de qualquer jeito na garagem, arranco a chave da ignição e atravesso o gramado a passos largos. O carro de minha mãe não está lá. Ela deve ter saído para cuidar de alguns dos infindáveis detalhes. Destranco a porta e a largo atrás de mim. Talvez seja assim que a dor chegará, através da raiva.

— Elspa! — grito.

A casa está quieta, exceto por minha voz ressoando.

Há um vaso de flores novas na mesinha. Desprezo as flores, o vaso, cada impulso manipulador que Artie já teve. Olho na sala de estar, depois corro para a cozinha, para a sala de jantar.

— Elspa!

Volto para a escada e subo correndo. Minha mente retorna ao escritório do contador, as mãos cruzadas de Reyer, sua tosse. Conheço bem o modo como os contadores olham para seus clientes quando estão tentando evitar a verdade. Cabe a mim decidir quanto dinheiro dar a John Bessom? Tenho que me sentir *à vontade*? Artie tem sustentado Rita Bessom e Elspa? Elspa mentiu para mim?

Viro no corredor e me precipito para dentro do quarto.

— O quê? — grita Artie. — O que está errado?

O enfermeiro está na cadeira ao lado da janela, curvado sobre um videogame portátil. Ele se assusta, mas tenta disfarçar.

— Por que você não me contou?

Artie se recosta.

— Você conversou com Reyer e suponho que ele não tenha lhe contado com a sutileza necessária. Ele não tem...

— Você devia ter me dito para esperar até que você estivesse morto — grito. — Então matar você não seria uma opção! O fundo E.L.S.P.A.? Eu tenho que decidir quanto seu filho vale?

O enfermeiro fecha rapidamente o jogo e o enfia na mochila, tentando guardar suas coisas e escapulir.

— Agora que você a conheceu, pode ver que ela merece — diz Artie.

— Sim, ouvi dizer que ela é uma escultora e tanto! Nós realmente deveríamos apoiar as artes desse modo!

— Tudo bem, tudo bem, eu entendo que você esteja brava por causa de Elspa. Mas consegue ver que meu filho John merece algo também, não é? Que espécie de canalha se nega a deixar algo para o próprio filho?

— Um tipo completamente diferente de canalha, suponho.

— Eu sou um tipo muito específico de canalha — ele me lembra.

Vou até a cama e me encosto. Um dos ditados que minha mãe nunca chegou a bordar me vem à mente: "Ao lidar com um cabeleireiro difícil, você tem que assumir sua megera interior".

— Você sabe que eu poderia sufocar você com um travesseiro no meio da noite e quem iria dizer que fui eu?

— Ele — diz Artie, apontando para o enfermeiro amedrontado fechando o zíper da mochila.

— Talvez eu deixe a Eleanor ajudar. Ela ia gostar disso. Aliás, fico imaginando quantas das suas malditas namoradas iriam gostar de ter uma chance de acabar com você.

— Eu realmente acho que você não devia me ameaçar na frente de testemunhas — comenta ele, olhando de soslaio para o enfermeiro.

— E não me compre mais nenhuma maldita flor! — berro.

Vou até o banheiro, onde me lembro de Elspa preparando o banho de Artie. Vazio. E então caio em mim.

— Elspa — chamo.

Um surto de pânico me atravessa, Elspa sentiu demais, será que ela está se esvaindo em sangue em algum lugar da casa, ou já se foi? Por algum motivo, isso só me faz sentir mais raiva, embora a raiva esteja tingida de medo.

— O que foi? — pergunta Artie da cama.

O enfermeiro fica paralisado, a mochila enfiada sob o braço.

Corro desenfreada para o andar de baixo, chamando o nome dela ainda mais alto que antes.

— Elspa! Elspa!

Desvio da mesinha tão desenfreadamente que derrubo o vaso. Ele se parte ao meio encharcando de água o tapete e deixando à mostra os caules das flores. Na queda, ele lasca ainda uma luminária, um objeto caro comprado por mim que minha mãe sugeriria que eu escondesse. Atravesso a cozinha novamente, onde minha mãe deixou empilhados os biscoitos cobertos de chocolate. Abro as portas envidraçadas e ando ruidosamente pelo pátio, vasculhando com o olhar os cantos do quintal e o interior da piscina.

Diviso então uma forma imprecisa no fundo, o movimento vagaroso de uma camisa submersa, o brilho de uma cabeça molhada. Elspa. Não. Inspiro profundamente, tomo impulso e mergulho, totalmente vestida, de sapato e tudo. A água está fria. Vou nadando até a parte mais funda com minhas roupas cada vez mais pesadas. Minhas braçadas parecem lentas demais, e a água excessivamente espessa. Acho que nunca chegarei ao fundo.

Mas então, finalmente, Elspa está bem na minha frente. Seu rosto está sobressaltado, os olhos meio desvairados, as bochechas infladas. Passo um braço ao redor de suas costelas e a puxo em direção à superfície. Ela se retorce como se estivesse tentando me puxar para baixo com ela, mas consigo rebocá-la de volta com força. Logo estamos as duas subindo.

Chegamos à superfície ao mesmo tempo, as duas arfantes. Ainda seguro as costelas de Elspa.

— Que foi? — pergunta ela cuspindo água e tentando recuperar o fôlego.

— O quê? — pergunto, completamente confusa.

— O que você está fazendo?

Solto-a, e ela nada até a parede.

— Achei que estivesse salvando a sua vida — respondo.

Elspa está viva e bem. Eu deveria me sentir aliviada, feliz, mas em vez disso a raiva volta e é como se ela fosse me sufocar.

— Eu estava meditando — fala ela.

— No fundo da piscina? — pergunto, nadando para a outra borda da piscina. — De roupa?

— Eu estava sentada na posição de lótus — ela comenta, nadando até a escada e se sentando no degrau de cima. — Contando os segundos, em estado consciente. Aprendi com uma pessoa com quem dividia o apartamento.

— No fundo da piscina, na parte mais funda? — bato na superfície da água com raiva. — O que você estava pensando? Quase me matou de susto!

— Desculpe — diz Elspa. — Você me assustou também.

Saio da água com a camisa e as calças grudando em meu corpo. Sento na borda e tiro meus sapatos ensopados. Não olho para Elspa. Não consigo.

— E você algum dia pretendia me contar a verdade?

— Que verdade? — pergunta Elspa, como se houvesse muitas verdades e inverdades entre as quais escolher.

— Que você teve um caso com o Artie quando ele já estava casado comigo. Que ele ainda paga pela sua vida. Você mentiu para mim e continua mentindo em todas essas coisinhas, a história de ser garçonete, de nunca ter tido *aquele* tipo de relacionamento com ele, a escultura fruto da sua imaginação.

    Elspa fica quieta por um momento. Seu lindo rosto pálido e molhado fica estático.

    — Ele está morrendo. Não achei que fosse, sei lá, apropriado.

    — *Apropriado?* — grito, sem acreditar.

    Ela enxuga a água do rosto e se abraça. Posso ver uma de suas mãos agarrando a tatuagem de guirlanda no braço.

    — Olhe, eu consigo dar conta daqui para a frente — digo.

    — Você pode ir embora porque seu turno no leito de morte dele acabou. Obrigada por tudo — faço uma pausa e uma questão me vem à mente. — Só uma coisa: você gosta de elevadores?

    — Elevadores? — pergunta ela.

    — Esqueça.

    Deve ter sido alguma outra das queridinhas de Artie. Quantas existem? E cada uma delas vem com quantas mentiras?

    Quando Elspa se levanta e começa a andar em direção à porta do pátio, olho para ela e vejo que está tremendo.

    — Por que você se casou com ele afinal de contas? — ela para e se vira. — Você nunca viu o que ele tem de bom?

    Olho para ela. Essa pergunta é completamente inaceitável. Não lhe devo explicação do meu amor por Artie e ia lhe dizer isso, mas de repente aquela fissura dentro de mim volta a se abrir. Me pego pensando em um momento particularmente hilário que eu e Artie tivemos e começo a falar em voz bem baixa.

    — Quando Artie e eu estávamos em lua-de-mel, era a época do acasalamento das arraias. Estávamos andando na beira da praia, de mãos dadas, e um cara nos disse que as arraias eram inofensivas a menos que pisássemos nelas. "E aí o que acontece?", perguntamos. "Morte certa?" Fomos andando em direção à margem, e comecei a gritar achando que tivesse encostado meu pé em uma delas e então Artie também gritou porque eu tinha gritado. E eu gritei porque Artie gritou. E foi tudo engraçado demais e continuamos gritando o caminho todo até a margem, só de brincadeira.

Fixo meu olhar na piscina. Disse tudo num tom tão baixo que não sei ao certo se Elspa me ouviu. Nem tenho certeza de que ela está lá. Mas, quando levanto os olhos, a vejo do outro lado da piscina, os olhos marejados. Ela não fala nada.

Continuo.

— Certa vez um pivete da vizinhança tentou roubar o velho Corvette do Artie que estava na garagem, mas Artie o escutou lá do quarto e correu nu pela rua atrás dele, brandindo um taco de golfe.

Elspa ri. Eu também, com um leve tremor na garganta.

Não consigo parar agora.

— O lugar favorito de Artie para pensar e fazer grandes planos é uma lanchonete vagabunda chamada Manilla's. Ele fala um ótimo francês macarrônico. Sempre confunde as letras das músicas, mas mesmo assim canta em voz alta. E ele nunca consegue desligar o telefone na cara dos operadores de telemarketing. Uma vez o peguei dando conselhos para uma operadora que estava tentando lhe vender taxas de hipoteca reduzidas. A moça — tinha que ser mulher, obviamente — tinha acabado de sair da faculdade e estava cheia de dívidas e confusa quanto a ficar noiva ou não de um piloto. Artie ficou no telefone por uma hora, apenas dando bons conselhos — estranho como essas coisas vão saindo da minha boca.

Acho que são minhas respostas às mensagens numeradas que ele mandava com as flores. Parece que estive compilando as minhas histórias sem saber, e, de repente, ei-las todas jorrando para fora de mim.

— Quando Midas, o cachorro dele, morreu, o banheiro do andar de cima começou a vazar exatamente no mesmo momento, e Artie arrebentou a casa toda procurando o vazamento, de onde vinha, como se movia por entre as vigas e onde se acumulava. Mas na verdade era por causa do cachorro. Ele amava aquele cão... E queria que eu engravidasse. Queria desesperadamente. Quando estávamos deitados, ele costumava colocar a cabeça na minha barriga e fingir que desenhava o interior do meu útero, criando um lugar bacana para o bebê viver por nove meses. Falávamos coisas como "Se mudássemos o sofá para cá e comprássemos um daqueles tapetes brancos felpudos...".

Paro. Posso ouvir a voz de Artie tão claramente na minha cabeça que não quero continuar. Saio berrando pelo quintal:

— Seu filho da puta!

— Desculpe — diz Elspa.

Pisco os olhos.

— O quê?

— Você o amava, e ainda o ama. Eu não tinha certeza antes.

Sei que vou começar a chorar e não quero porque tenho medo de não conseguir parar mais. Olho para Elspa.

— Por que você tentou se matar?

Seus olhos vagueiam pelas árvores. Ela olha para o céu e depois para mim.

— Eu era viciada em drogas quando conheci Artie.

Essa confissão me apavora. E num momento em que eu não deveria ser nem um pouco egoísta, um pensamento muito egoísta me vem à cabeça. Artie teve um caso com uma viciada em drogas?

Ela lê minha expressão rapidamente e me assegura.

— Eu não usava agulhas. Eu não me prostituía por drogas. Não estou... doente. Estávamos seguros e ele dizia apenas as coisas mais fofas sobre você, essas histórias lindas. Ele a idolatrava. Ele ainda a idolatra.

Não sei como interpretar isso.

— Ele tem um jeito estranho de demonstrar isso. Quero dizer, me idolatrar sacrificando virgens? Não é como eu gostaria de ser idolatrada.

— Honestamente — diz ela, — era diferente, um tipo de intimidade diferente.

—Acho que temos definições diferentes para o termo *honestamente* — digo.

— Ainda não entendo como você pôde mentir para mim com tanta convicção.

— Eu sou viciada. Uma coisa que os viciados sabem fazer bem é mentir — se justifica ela, com um arrependimento sombrio na voz que eu nunca tinha escutado antes. — Estou tentando lhe contar a verdade agora, e meu relacionamento com Artie não era como você pensa, sabia?

— Não, não sei.

Ela diz sem emoção:

— Eu estava muito frágil na maior parte do tempo. Mal aguentava ser tocada. Eu estava um caco.

— Continue — peço.

— Uma semana antes de conhecer Artie, dei minha filha, Rose, para que minha mãe a criasse.

— Você tem uma filha?

Ela assente com a cabeça.

— Me desculpe suspeitar tanto a esse ponto, mas você poderia me contar sobre o seu relacionamento com Artie, o tempo que durou e o nascimento da sua filha? — pergunto, embora saiba que Artie está num ponto na vida em que está reconhecendo suas crias e não as renegando.

— Ela não é filha do Artie. Já tinha um ano quando o conheci e quando a abandonei. Agora ela tem três anos. Quase me matou deixá-la. Literalmente. Estou limpa desde que Artie salvou minha vida.

— E por que você não a cria agora?

— Eu a visito quando posso, mas meus pais acham que é confuso demais para ela essa coisa de quem é a mãe dela e tudo o mais. Eu bem que tento ir me infiltrando na vida dela o máximo possível — ela balança a cabeça. — Meus pais deixaram claro que eu devia entregá-la a eles e estavam certos, porque eu não tinha condições de ser mãe. Eles assumiram esse papel, e não foi fácil para eles. Já estão velhos. E eu não sei. Não tenho o direito de pedir-lhes que abandonem a função agora. Sei também que não o fariam, de qualquer forma. Eles nunca confiariam em mim.

— Mas você quer ser a mãe dela? — pergunto.

— Mais que tudo — afirma ela.

— Seus pais assumiram esse papel corajosamente, mas talvez a devolvessem a você se soubessem o quanto está mudada.

—Ah, não — diz ela. — Eles nunca confiaram em mim, nem mesmo antes. Eu nunca fui boa o bastante, nunca tive valor algum aos olhos deles. Eu explico que estou na faculdade novamente, mas eles sempre acham que se me derem algum dinheiro, irei gastá-lo com drogas.

— De qualquer modo — argumento — é seu direito ser a mãe dela, não? Quero dizer, legalmente falando. Você assinou alguma cessão de direitos.

Ela balança a cabeça.

— Não.

— Então é seu direito, não apenas legal, mas talvez moral também — afirmo.

— Eu quero ir buscá-la. É o que eu mais quero no mundo. Mas não posso.

— Talvez você seja uma boa mãe agora, Elspa. Talvez esteja pronta.

Ela fica quieta por um momento.

— Você seria uma boa mãe — ela acrescenta, em voz baixa.

E isso basta. A fissura se rompe, e agora a raiva tão familiar se mistura com a tristeza. Me curvo. Os soluços são profundos e guturais. Artie não vai ser pai das minhas crianças. Qualquer chance que pudéssemos ter tido de resolver as coisas agora não faz diferença. Ele vai morrer.

Não percebo que Elspa dá a volta na piscina, mas de repente ela aparece ao meu lado e passa os braços ao meu redor. Estamos ambas encharcadas. Ela me abraça com força, como se agora fosse ela que estivesse me puxando do fundo da piscina, e consigo sentir que estou cedendo.

Olho para a casa, e lá está Artie, com o enfermeiro ao seu lado, nos observando da janela do escritório, do outro lado do quarto. Ele parece confuso e aliviado e também parece saber que está invadindo esse momento particular. Depois vejo os dois voltando para o quarto.

Capítulo 15

Às vezes, depois de nos entregarmos à emoção, queremos botar ordem

Começo a arrumar as coisas limpando o vaso quebrado, colocando as flores em um dos vasos velhos que mantenho sob a pia da cozinha e secando a água com toalhas de papel. Não leio o número cinquenta e nove de Artie. Estou cansada de sentimentos tão pequenos que cabem num cartãozinho. Estou cansada desses Artie-ismos.

Mas essa arrumação não me satisfaz.

Decido que preciso de uma reforma total, uma reorganização completa.

Eu sei quando convocar uma reunião, afinal de contas sou do tipo de profissional que genuinamente nasceu para esse trabalho — aquele que se acalma com gráficos, se diverte com índices e às vezes até se delicia com uma tabela bem calculada.

Sei que Eleanor, Elspa — até minha mãe — e eu temos coisas que precisam ser mudadas. Temos, como se diz no meu trabalho, objetivos em comum. Nos aproximamos por causa da morte iminente de Artie, e que caia um raio na minha cabeça se eu não conseguir fazer essa situação dar lucro — no sentido emocional — para todas nós. Todo bom gerente sabe que uma catástrofe pode se tornar uma oportunidade se você encarar as coisas do modo certo.

Também sei preparar a ordem do dia. Passo a tarde e o comecinho da noite formulando perfis — necessidades, objetivos, capacidade de cada indivíduo de suportar riscos — e, baseada nesses perfis, traço um plano para cada uma das pessoas que convidei.

Estou sendo assertiva demais, excessivamente estruturada, hiperorganizada? É possível, mas depois que uma das queridinhas de Artie mentiu para mim, que eu ameacei, na frente de uma testemunha, sufocar meu marido doente e que arranquei uma possível suicida do fundo da piscina e tive um pequeno surto, o que se poderia esperar? Certamente alguns dos melhores esforços organizacionais são uma reação às catástrofes emocionais do mundo.

A reunião é uma surpresa para as participantes. Eleanor e minha mãe, recém-saídas do salão de beleza e animadas por causa do café com leite, estão sentadas à mesa da sala de jantar. Minha mãe ostenta um penteado novo duro de tanto laquê. O cabelo de Eleanor ainda está preso, mas há duas mechas finas jogadas ao longo do rosto, como que sopradas pelo vento. Ela tem o semblante mais suave que antes e parece mais bonita, mais jovem. Na verdade, talvez ainda não tenha chegado aos cinquenta anos. Bogie está empoleirado no colo da minha mãe, e o seu protetor atlético combina com o amarelo-claro da roupa dela, dos sapatos e tudo mais — pior impossível. Elspa também está presente, com seus *piercings* brilhando sob o lustre da sala de jantar. Todas estão segurando a lista de tarefas que imprimi.

— Resolvi convocar essa reunião — anuncio — porque não temos muito tempo e precisamos ser organizadas se quisermos atingir nossos objetivos.

— Para que estamos fazendo uma reunião? Por que tanta formalidade? — quer saber Eleanor.

— Você está usando calça social? — pergunta minha mãe.

Na verdade estou vestindo roupa de trabalho, calça social e uma bela camisa abotoada, mas sem o blazer combinando.

— Estas minhas roupas são confortáveis — digo. Eu gosto delas porque sei quem sou quando as estou vestindo.

— Interessante — comenta Eleanor.

— Como essas roupas podem ser confortáveis? — pergunta Elspa.

— Pelo menos não estou combinando com meu cachorro — digo, apontando para o pobre Bogie, por fora de tudo. Minha mãe parece magoada. — Desculpe — digo a ela. — Vamos tentar não desviar do assunto.

Mas percebo que elas já entenderam que estou buscando uma compensação. E, sabendo que elas sabem, consigo sentir minhas emoções transbordando, um misto de tristeza profunda, raiva e amor e, por causa dessa confusão, desse transbordamento, pânico também.

— A ordem do dia é clara. Marquei todos os nossos objetivos e necessidades e a forma como, reunidas pelo falecimento iminente de Artie, podemos alcançá-los individual e coletivamente.

Falecimento iminente. Enquanto estava fazendo a lista, pensei em como dizer isso. É o termo mais clínico e impessoal que consegui encontrar. Eu estava com medo de não ser capaz de suportar caso eu dissesse outra coisa. Iminente é uma palavra pesada o bastante para não parecer real. Não quero chegar perto demais da realidade da morte de Artie agora. Não consigo e sei o quão frágil me sinto.

— Quem é John Bessom? — pergunta Eleanor, apontando para o nome na lista.

— É o filho de Artie. Ele não está aqui, mas faz parte do nosso grupo por causa de Artie. E John ainda não sabe, mas vai conhecer Artie antes que o pai morra, assim não irá repetir os mesmos erros dele.

— E como ele vai conhecer Artie? — pergunta Eleanor. — Artie é quem irá contar ao filho sua própria versão gloriosa?

— Não — respondo. Já pensei nisso. Ele não pode conhecer apenas a versão gloriosa de Artie. — Vou contar a ele minha versão também e para isso estou planejando um passeio.

— Um passeio? — se surpreende minha mãe.

— Pela vida de Artie. Um passeio pelo lado bom e pelo lado mau de Artie.

— É uma ótima ideia — diz Elspa, mas o faz tão gentilmente e com tamanha falta de convicção que deixa transparecer que na verdade sou eu quem precisa disso, muito mais do que o filho de Artie. Fico irritada, mas não estou com vontade de discutir essas coisas agora.

— Pais são importantes — digo a elas. — Mesmo quando você não os conhece muito bem — o meu era quase um estranho para mim quando morreu. — John Bessom vai conhecer o pai. De outra forma, ele não receberá sua parte na herança.

— Parte na herança? — quer saber minha mãe.

— Sim. No testamento de Artie está previsto que John deverá receber alguma coisa, mas cabe a mim decidir quanto ele vai levar.

— Bem, querida — diz minha mãe, ela tem suas teorias sobre o dinheiro de ex-maridos, vivos e mortos, e distribuí-lo não é algo que ela aprove.

— Então o bastardo tem um filho — diz Eleanor, tamborilando com as unhas na mesa.

— Eu também não sabia até há alguns dias — digo.

— Isso é tão Artie — constata Eleanor, a fúria subindo-lhe às faces. — Tantas enganações!

— Ah, ele é homem. O que se pode esperar? — acrescenta minha mãe.

— Se nunca esperarmos nada deles, eles nunca vão aprender, o que explica as capacidades emocionais atrofiadas dos homens — conclui Eleanor.

— O que me traz à Eleanor agora — digo.
Todo mundo se volta para a lista.
— "Não seria maravilhoso se Artie pudesse fazer as pazes com seu passado, todo ele, antes de morrer?" Foi isso que você disse na outra noite. E tem razão. Seria bom para ele.
Nesse ponto, há uma aspereza na minha voz. Eu consigo ouvi-la tão claramente como todo o resto; despeito, vingança? Quero que Artie aprenda algumas lições. Quero que ele seja obrigado a lidar com seu próprio legado. A raiva cresce de novo e aperta minha garganta. Tusso e aponto para a lista.
— Esse ponto do plano está listado nas necessidades e objetivos de Artie, mas também lhe faria bem, Eleanor, não é? Por isso está também nas suas necessidades e objetivos.
Poderia constar também nas minhas necessidades e objetivos, mas não estou preparada para admitir isso publicamente.
— Bem, já me resolvi com os homens — afirma Eleanor. — É bem simples: desisti deles.
Minha mãe engasga.
— Talvez você possa concordar em assumir a tarefa de ajudar Artie a fazer as pazes com o passado, por ser bom para ele. E, se durante o processo você aprender alguma coisa sobre si mesma, então tanto melhor para você — sugiro.
— E como posso levar Artie a fazer as pazes com o passado?
— Tenho uma agenda de endereços com todas as queridinhas dele. Foi como entrei em contato com vocês. Acho que ele deveria ser colocado frente a frente com o maior número possível dessas mulheres para entender como ele falhou, tudo o que fez de errado com elas.
— Bem, isso seria de fato delicioso. Farei com o maior prazer.
— Mas e se ele não falhou com elas? — questiona Elspa.
— Ah, sim — respondo. — Você é um dos círculos vermelhos.
— Círculos vermelhos? — pergunta ela.

— Cada nome tem uma ou duas marcas ao lado: um círculo vermelho significa que ele rompeu com a mulher em bons termos, talvez de comum acordo, e um x vermelho indica que as condições não foram boas.

— E ao lado do meu nome? — quer saber Eleanor.

Eu a olho como quem diz "Bem, o que você acha?".

— Um x bem grande — conclui ela, com uma espécie de orgulho. — Deveríamos convidar apenas as mulheres a quem Artie prejudicou. Apenas as que têm um x vermelho.

— Isso seria justo? — pergunta Elspa.

— Artie já tem você para lhe dizer o quanto ele é maravilhoso — digo. — Artie Shoreman está em paz com seu lado bom. Ele precisa colocar em pratos limpos a outra parte. Precisa entender o que é traição — e então lanço mão das palavras de Elspa. — Aprendemos mais com nossos fracassos do que com nossos sucessos.

Minha mãe suspira e revira os olhos.

— É uma perda de tempo, cachorro velho, truques novos! Homens precisam de paparicação. Eles é que são o sexo frágil.

Há um suspiro coletivo.

— Não sei se isso tudo vai funcionar — digo, — mas vale a pena tentar.

Então minha mãe questiona:

— Não entendo o que o meu objetivo quer dizer. *Ser mais eu mesma?* Mas eu sou eu mesma, querida.

— Mas pode ser mais ainda — respondo.

— E como você planeja ajudá-la a atingir esse objetivo? — pergunta Eleanor em um tom grave.

— Eu não sei — admito. — Se ela pudesse se esforçar nesse sentido...

— Bem, isso é ridículo! — desabafa minha mãe.

— Por exemplo, você poderia parar de caçar homens ricos para se tornar seu sexto marido. Dê uma maneirada nisso...

— Eu não estou caçando homens ricos!
— Só pense nisso — digo.
— Eu concordo com Eleanor! Também acho essa reunião estúpida!
— Eu não disse isso — reclama Eleanor.
Minha mãe puxa a bolsa amarela pendurada na cadeira, coloca a alça no ombro, pega Bogie e se prepara para deixar a sala.
— Estou indo embora — anuncia ela, como se não estivesse óbvio.
— Espere — digo. — Não vá.
Ela para sem olhar para trás, e vejo o traseiro de Bogie aparecendo por baixo do seu braço.
— Há mais duas coisas para as quais necessito da sua ajuda — digo a ela.
— Você precisa de mim? — pergunta desconfiada.
— Em primeiro lugar, eu realmente adoraria que você se encarregasse junto com Artie dos arranjos para o funeral. Ele e eu, bem, eu não consigo. Nós ainda não chegamos lá.
Ela hesita, para efeito dramático.
— Bem, eu poderia fazer isso — diz ela.
— E, em segundo, seria bom se você mantivesse os vizinhos longe, especialmente aqueles que parecem ser amigos.
Ela se vira e sorri com as sobrancelhas erguidas.
— Eu sou fantástica em dispensar polidamente as pessoas.
— Como quando você me conheceu — diz Eleanor com uma franqueza aguda que pega minha mãe desprevenida, mas apenas por um minuto.
— É uma das coisas que faço melhor — acrescenta minha mãe, retornando ao seu assento, com Bogie de olhos marejados a reboque.
— Obrigada — digo.
Viro-me para Elspa, que esteve quieta o tempo todo. Ela está olhando para a lista com olhos também meio marejados, mas sorri abertamente.

Penso no que Elspa disse na piscina, que quer a filha de volta, mais do que tudo. Ela quer ser mãe novamente, e eu sei a mãe maravilhosa que ela seria, por causa da atenção terna que tem dado a mim e ao Artie.

— Mães são importantes também. Não há substituto — olho para minha própria mãe, ainda tentando acalmá-la do faniquito passageiro. — Os filhos têm direito a todo o amor que puderem conseguir.

Elspa não diz uma única palavra sequer, apenas olha para Eleanor, para minha mãe e de volta para mim. Consigo perceber que passamos a contar umas com as outras daquele jeito estranho e íntimo que as pessoas rápida e completamente são capazes, uma confiança baseada na necessidade.

— O que você quer dizer? — pergunta minha mãe.

— Eu quero que você tenha sua filha de volta — digo a Elspa. Certa vez, abri uma janela e soltei um pássaro que ficara preso. Artie estava morrendo de medo do maldito bicho, que ficava se batendo contra as paredes. Elspa me fez lembrar dessa história. Eu quero abrir as janelas certas de novo.

— Pensei num plano para que você volte a ser a mãe que já é.

— O que esse plano inclui exatamente? — pergunta Eleanor.

Elspa olha para mim de olhos arregalados.

— O plano é ir até a casa dos pais de Elspa. Ela precisa ter a filha de volta. Elspa pode ficar com Rose aqui até que tenha condições de se manter.

— Você pensou nisso direito? — indaga Elspa, com uma excitação nervosa.

— Talvez não completamente. Tenho certeza de que há lacunas no meu plano, mas sei que vou precisar tornar a casa e a piscina seguras para bebês — digo a ela.

Infelizmente, já imaginei esta casa cheia de crianças vezes demais. Meus bebês imaginários com Artie — para os quais demos vários nomes mas que nunca existirão. Já imaginei o local para o quarto do bebê, o cadeirão alto na cozinha, a casinha de brinquedo no quintal. Lá no fundo eu sei que estou tomada por Rose, pela ideia de mãe e filha juntas de novo. Se não vai dar certo para mim, quero que dê para Elspa.

— Eles não vão desistir dela — diz Elspa, com a lista tremendo em sua mão. — Quero dizer, não há um acordo legal. Eles não têm a custódia, mas têm poder. Eles são meus pais e vão me dizer que sabem o que é melhor. E eu vou acreditar.

— É por isso que iremos juntas. Eu sou boa em argumentar o que é lógico e racional e melhor para todas as partes envolvidas. Isso é o que eu sei fazer muito bem.

— Você não conhece meus pais. Eles não funcionam com o que é lógico, racional e melhor para todas as partes envolvidas. Você vai ver.

— *Você vai ver?* Isso significa que vamos fazer isso?

Elspa concorda com a cabeça.

— Você quer fazer isso por mim. E eu não recusaria. É importante demais.

— E você, Lucy? — pergunta minha mãe.

— Você não está na ordem do dia — diz Eleanor, passando os olhos pela lista.

Percebi isso quando estava distribuindo as tarefas, mas eu contava que ninguém fosse notar.

— Algo de bom há de vir desse nosso encontro — digo, pensando da forma como um bom gerente faria, catástrofe como oportunidade. — Mas não precisa acontecer necessariamente para mim. Apenas acontecer algo bom já basta.

— Tem que haver algo de bom para você — diz Elspa, balançando a cabeça. — Tem que haver.

— O que seria? — pergunta Eleanor.

— O que seria? — respondo devolvendo a pergunta.

— Sim, algo bom para você. Que forma teria isso?

— Eu não sei — respondo e reflito por um momento. — Eu gostaria de ser mais parecida com a pessoa que eu era antes de descobrir a traição de Artie.

— E como você era? — quer saber Elspa.

— Eu não era tão fechada.

— Eu acho que você deveria tentar encontrar um meio de perdoar o Artie — comenta Elspa.

— Eu acho que faria bem para a sua alma — acrescenta minha mãe.

— Pro inferno com o perdão — exclama Eleanor.

— Creio que eu precisarei entender tudo isso — digo. — Bem, acho que meu plano deverá ser descobrir qual é o meu plano.

Capítulo 16

QUANDO NÃO SE SABE O QUE FAZER, ÀS VEZES É
ACONSELHÁVEL RECORRER A UM EDUCADO SUBORNO

Enquanto me preparo para sair e realizar minha primeira missão, uma verdadeira agitação acontece pela casa. Eleanor vasculhou a agenda de endereços de Artie atrás de todos os nomes marcados com um x vermelho. Ela se instalou no cantinho do café da manhã e agora está conversando com alguém pelo celular. Minha mãe está no telefone, já em negociação com três funerárias. Ela começou a preparar uma lista de perguntas para Artie. Elspa anda de lá para cá no pátio com um caderno na mão. Eu lhe dei a tarefa de fazer anotações sobre os mecanismos internos da psique de seus pais. Quem são eles? O que os motiva? O que os intriga? Sua política, sua religião, seus fracassos.

Artie está no quarto no andar de cima. Será que ele tem consciência da movimentação? Deve ter. Ele deve estar sentindo a energia, a agitação no ar. Mas não sabe o que vai acontecer. Não sabe o que Eleanor está preparando.

As ligações de Lindsay acabaram pontuando meus dias como uma canção popular tocada no rádio incontáveis vezes. Nunca sei quando elas vão aparecer mas, quando acontecem, sei que as estava esperando. No caminho para a Butique Bom Sono Bessom, ela me liga. Sinto-me flutuando para longe das preocupações do trabalho, que costumavam me consumir. Fico chocada com a facilidade com que consigo explicar tudo detalhadamente a Lindsay.

— Sim, isso vai se resolver sozinho — me ouço dizendo. — Não se preocupe tanto.

Pareço uma desconhecida falando, até minha voz soa desapegada, como se não fosse eu falando, e sim alguém atrás de mim ou ao lado. O trabalho me consumia, mas agora, diante da morte iminente de Artie, é até um pouco assustador como todo o resto pouco me afeta.

— E como você está? — pergunta ela.
— Tenho um plano — digo.
— Você faz ótimos planos — afirma ela. — Tenho saudades deles.
— Bem, eu não sei o que dizer desse. É meio capenga e tem muitas variáveis envolvidas, como o coração humano.
— Ah — exclama ela. — O coração humano! O que se pode fazer?!?
— Exatamente.

Depois que Lindsay e eu terminamos de conversar, tento ligar para John no caminho, mas ninguém atende. Ligo três vezes da estrada e a chamada cai sempre na secretária eletrônica, a voz de John dizendo "Você ligou para a Butique Bom Sono Bessom. Estamos fechados temporariamente. Esperamos reabrir em breve no horário habitual para atender às suas necessidades. Por favor, deixe seu recado".

A primeira vez eu desligo, me perguntando o que estaria errado. Lembro do sujeito com cara de banqueiro conversando com ele em frente à loja quando Elspa e eu fomos pegar o colchão e fico imaginando se o negócio de John foi por água abaixo. A segunda vez, ouço sua voz cuidadosamente. Ela soa um pouco mais abatida do que eu me lembrava, um pouco mais cansada, e então desligo. A terceira vez, tenho certeza de ter percebido um nó na garganta no meio da mensagem. A falha, de certa forma, é comovente, muito embora eu não consiga identificar o que ela significa, e deixo uma mensagem.

— Eu gostaria de dar uma passada aí para conversar sobre Artie... Espero que você não se importe. É só que... Bem, espero poder falar com você pessoalmente — deixo meu número de telefone e então faço uma pausa breve, imaginando como devo estar soando vacilante. — Vou me despedir antes de dizer mais alguma coisa — mas não me despeço. Apenas desligo, que é o que eu queria dizer.

O aviso na porta da Butique Bom Sono Bessom diz "Fechado", mas quando a empurro, a porta se abre tão rapidamente que me sinto puxada para dentro. Não há campainha. Está desligada? Quebrada? As camas enfeitadas com edredons e muitas almofadas parecem grandes, fofas, coloridas.

Isso é parte do plano — algo de bom tem que vir da morte iminente de Artie, algo bom para cada uma dessas pessoas que foram repentinamente reunidas. Mas agora que estou aqui entre as camas e olhando para a porta do escritório no fundo da loja, sinto-me completamente insegura.

A porta está entreaberta. Ao caminhar em direção a ela, ouço alguém do outro lado, um remexer de papéis. Fico sem jeito, e com razão, porque, afinal, estou invadindo. Ergo a mão para bater à porta, mas tenho medo de assustá-lo. Percebo que eu deveria pelo menos ter esperado que ele retornasse minha ligação. Ele precisa de tempo.

Pego meu celular e seleciono o número. O telefone dele começa a tocar, mas ele o ignora. Então toca a mensagem da secretária eletrônica — a voz de John ecoando no pequeno escritório — as palavras "temporariamente fechados... Por favor, deixe um recado".

— Sou eu, Lucy — posso ouvir minha própria voz saindo de dentro do escritório. — Estou aqui. Quero dizer, estou mesmo aqui — me afasto da porta e depois volto. — Estou do outro lado da porta do seu escritório. Não quis assustá-lo.

Há um momento de silêncio enquanto, imagino, ele assimila a mensagem.

— Quem é você, o lobo mau? Já tive lobos mais malvados à minha porta — fala ele brincando. — O que você quer?

Falo em parte ao telefone e em parte pela fresta da porta.

— Conversar.

— Você pode desligar o telefone — diz ele.

Fecho o aparelho.

— E pode abrir a porta.

Abro-a. A porta range. Ele me olha de sua escrivaninha, sorrindo um pouco, aquele sorriso torto, e com uma ternura nos olhos. Seu colarinho está desabotoado e torto, revelando uma de suas clavículas.

— Pode entrar — convida ele.

Entro. Desisti da esperança de encontrar soldadinhos de plástico verde. John é filho de Artie, mas não é criança. Entretanto, o que eu não esperava era que ele morasse aqui. Há uma minigeladeira zumbindo no canto da sala, uma fruteira com duas maçãs verdes e uma banana machucada no meio das pilhas de papel em sua mesa e toalhas amontoadas sobre o armário de arquivos. A porta do guarda-roupa está aberta, revelando camisas e calças em cabides e sapatos organizados na prateleira de baixo.

— Como você está? — pergunta ele.

— Já estive melhor — tento soar leve, mas não consigo. — Desculpe a forma como as coisas aconteceram no outro dia. Não foi como eu tinha planejado.

— Não, eu é que peço desculpas — diz ele. — Ele é seu marido e não consigo imaginar como você deve estar se sentindo, sabendo que...

Balanço a cabeça.

— Tudo bem, não sou muito boa com esse negócio de morte. Acho que logo vou receber em casa montes de ramalhetes de lírios com cartões e condolências.

Há uma pausa. Ele não tem certeza de como proceder. Nem eu.

— Estou aqui a trabalho, de certa forma — olho em torno do pequeno escritório. — Como vão os negócios?

— Não exatamente bem.

O telefone começa a tocar.

— Não sou eu, juro — digo.

Ele levanta o aparelho, sem responder, e olha para o identificador de chamadas; então aperta o botão de atender uma vez e depois outra, desligando.

— Lobos à porta — diz ele. Seus olhos parecem cansados, e seu rosto um pouco abatido. Ele dá de ombros. — Essa é de fato uma descrição bastante precisa de como vão os negócios na verdade. Por que pergunta?

Não sei bem como abordar o assunto e fico brincando com meu telefone, abrindo e fechando enquanto penso. Falo sobre dinheiro no trabalho o tempo todo, e nunca é tão confuso pessoalmente. Mas lá estou livre do peso de minhas próprias emoções. Decido fingir, pelo menos por um momento, para assumir meu eu profissional. Endireito os ombros.

— Artie tem um testamento, e você está nele.

Isso o pega de surpresa e o deixa intrigado também. Ele folheia uma pequena pilha de papéis sem realmente olhar para eles; se inclina para a frente, fazendo menção de que vai dizer algo. Mas então balança a cabeça e volta a mexer nos papéis para lá e para cá em sua mesa.

— Não quero o dinheiro dele.

— Acho que não é você quem vai decidir.

— Quem é então?

Eu estava imaginando quando chegaríamos a essa parte, mas assim tão rápido? Não consigo mais manter a pose profissional da Lucy-auditora e até me sento em uma cadeira. Na verdade, desabo. Olho para ele e depois desvio o olhar.

— Eu. Artie quer que eu decida quanto do dinheiro dele irá para você.

— Você?

Há um silêncio constrangedor.

— Não foi escolha minha.

Ele se levanta, como que tomado por uma inquietação repentina. Observo que ele é mais alto do que eu me lembrava, mais alto e mais magro, mais bonito também, e eu já o achava muito bem-apessoado antes.

— Olhe, você já me ouviu dizer isso antes e vou dizer de novo...

— Eu sei, não há nada entre você e o Artie agora — estou cansada dessa versão. — Talvez você se veja como algum tipo de imaculada conceição, mas sua mãe não vê problema algum em aceitar dinheiro dele.

— O que isso quer dizer?

— Até onde Artie sabe, ele nunca parou de sustentar você. Desde que você nasceu sua mãe recebe mensalmente um cheque.

— Recebe?

Ele está pasmo, e bravo também. Ele olha fixamente para os papéis na mesa, contas vencidas, avisos de cobrança, Então se apoia neles com os dois punhos fechados e começa a rir balançando a cabeça.

— O que é tão engraçado?

— Rita Bessom — diz ele. — Também tenho enviado cheques para ela todo mês. Essa é minha mãe!

— Mas os cheques do Artie estão chegando ao fim — garanto. — Isso também sou eu quem decide.

— Já era hora — diz ele e então se senta de novo. — Escute, eu não quero nada. Vamos seguir em frente. Eu, para começar, estou envolvido com muita coisa agora. Estou até o pescoço e... Vim aqui por um motivo que, na verdade, não tem nada a ver com Rita Bessom, ou mesmo com dinheiro.

— Você não quer saber nada sobre seu pai? Não fica curioso? Ele esfrega a testa.

— Entendo de onde você está tirando isso, mas não é exatamente assim. Eu quero que ele ame alguma coisa em Artie Shoreman e também que conheça alguns dos defeitos do pai. Quero que ele o compreenda.

— Não tive muita chance com meu pai — digo. — Ele foi embora quando eu era pequena e morreu antes que eu tivesse idade suficiente para termos um relacionamento de verdade. Guardo histórias sobre ele, boas e ruins, e elas ajudam. O que eu estou dizendo é que isso é importante. Não quero que você perca a oportunidade de conhecer Artie, mesmo que seja só um pouco. Essa é sua única chance, e, se não aproveitá-la, pode acabar se arrependendo.

Ele me olha como se eu fosse algum pássaro exótico que entrou no escritório para gralhar e parece não saber o que dizer. Ele inclina a cabeça para um lado. Olhamos um para o outro por um momento — um longo momento. Isso me faz corar, mas me recuso a desviar o olhar.

— Olhe — diz ele, e sei que vai assumir a antiga postura. Interrompo.

— Deixe-me ir direto ao ponto. Eu quero lhe fazer uma proposta.

— Uma proposta? Não é todo dia que uma mulher entra aqui para me fazer uma proposta.

Ignoro o comentário.

— Artie quer lhe deixar algum dinheiro e me encarregou de decidir quanto. Você pode usar essa grana para ajudar no seu negócio ou distribuí-la para crianças cegas ou para *strippers*. Não me interessa. Tudo que eu peço em troca é que você o encontre e tente conhecê-lo um pouco. Que você ouça as histórias que ele tem para contar, da boca dele, e, para que você não fique com uma impressão unilateral, eu darei a minha versão também. Um passeio monitorado pela vida dele.

— Um passeio monitorado pela vida de Artie Shoreman?
— Sim.
— Completo, com apresentação em PowerPoint e tudo? E você vai ser a guia? — pergunta ele.
— Pode não ser a maior maravilha, mas farei o melhor que puder — cruzo e descruzo os braços. Não me lembro da última vez em que me senti tão nervosa.

O telefone começa a tocar novamente, e ele o ignora.

— E então você decidirá quanto dinheiro vai me dar? — ele me olha de soslaio e se recosta na cadeira. — Você está me subornando?

Deixo meus olhos vagarem pela sala — o teto, o forno de micro-ondas que eu não tinha visto antes, o tapete verde. Só então noto que ele está descalço. Os pés bronzeados, a barra desfiada de seus jeans — me sinto observando algo íntimo. Olho para ele e vagamente me lembro da pergunta. Estou subornando John para que ele conheça seu pai?

— Sim — respondo. — Se você quer chamar assim.

Ele sorri novamente, e fico observando-o, procurando algum traço de Artie. Consigo ver apenas um minúsculo fragmento de alguma relação muito vaga. Mas há uma certa beleza ali, algo mais sério, mais sincero.

— Tudo bem. Farei isso. Pode contar comigo — diz ele. — Apelar para suborno. Que mafiosa!

Sem pensar, as palavras voam da minha boca:
— Da próxima vez eu vou ter que me atracar com você.

E assim que digo essas palavras, elas ficam reverberando na minha cabeça: "Da próxima vez eu vou ter que me atracar com você"? Penso em tentar retirá-las, gaguejando algo como "Não foi bem isso que eu quis dizer", mas decido que só pioraria a situação. Quero falar que não estou atraída por ele, que eu nunca diria algo assim ao filho de Artie. Que tipo de pilantra o faria?

John está claramente se divertindo com isso. Ele tenta refrear um sorriso.

— Vou me lembrar disso — afirma ele.

Saio sem dizer mais nada, fechando a porta atrás de mim, mas um refrão ainda fica ressoando na minha cabeça: "Da próxima vez eu vou ter que me atracar com você. Da próxima vez eu vou ter que me atracar com você"?

Capítulo 17

O PASSADO É REVIVIDO MELHOR EM PERÍODOS DE MEIA HORA

Já está anoitecendo quando chego em casa. O clarão do crepúsculo se concentra nas bordas do quintal e a luz de alguns poucos vagalumes dispersos brilha intermitente entre as árvores. Encontro Eleanor e minha mãe sentadas à mesa da cozinha bebendo café. Eleanor me apresenta orgulhosa sua tabela — não sou a única com habilidades organizacionais pelo visto. A tabela é um cronograma das atividades dos próximos três dias, organizado em períodos de meia hora, com intervalos para refeições e descanso. Metade desses períodos já está preenchida com nomes de mulheres.

— Como você conseguiu que elas se comprometessem? — pergunto, puxando uma cadeira.

— Bem, não foi tão difícil. Apenas modifiquei seu método e liguei sóbria antes da meia-noite. Ah, e também apelei para a vaidade delas.

— Muito bem — digo. — Meu método tinha algumas falhas.

— Teve sorte com Bessom? — pergunta minha mãe.

Balanço a cabeça afirmativamente. Ainda estou abalada com o encontro e, no carro, voltando para casa, percebi que, além de dizer que eu ia me atracar com ele, também usei a palavra *proposta*, que, em retrospecto, parece muito pior. Não sei se estou me preocupando demais com minhas respostas por estar com medo de arruinar a chance de Artie conhecer o filho ou porque me flagrei tão inexplicavelmente atraída por sua aparência tão não-Artie, seu jeito de olhar para mim, de falar comigo.

— Ele aceitou — respondo. — Acho que está precisando do dinheiro.

— Bem, deixei períodos em aberto para as visitas dele também — comenta Eleanor, apontando para a tabela. (Eu mencionei que é organizada por cor?) As visitas de Bessom estão marcadas em azul escuro.

— Onde está Elspa? — pergunto.

— Está deitada no quarto de hóspedes — responde Eleanor. — Escrevendo sobre os pais, e, ao que parece, é mais difícil do que ela pensava.

Isso me preocupa porque acho muito importante que Elspa consiga fazê-lo e que não desista.

— Elspa não tem a mesma sorte que você no que diz respeito aos pais — comenta minha mãe, sem nenhuma ironia, e dá tapinhas na minha mão.

Ignoro esse momento autocongratulatório. Ela não deve ser encorajada.

— E Artie? — quer saber Eleanor cheia de excitação, com a mão junto ao coração. — Quando vamos informá-lo do nosso plano? Preenchi os horários começando a partir de amanhã de manhã.

Ponho as duas mãos na mesa e me levanto.

— Que tal agora?

Por que não agora? Tenho energia de sobra, e há algo dentro de mim que quer punir Artie. Isso está se tornando um desejo muito habitual? Estou consciente do quanto quero ver sua expressão quando ele souber do plano.

— Agora?! — exclama minha mãe.

— Me parece bom — diz Eleanor pegando sua tabela.

— Mas, só para constar, gostaria de deixar registrado que não acho isso uma boa ideia — anuncia ainda minha mãe.

— Ninguém vai deixar nada registrado — digo. — Somos só nós, improvisando à medida que as coisas vão acontecendo.

— Mas mesmo assim — insiste minha mãe. — Artie, coitado do Artie.

— Ele pediu que fosse assim, não se esqueça. Pediu para chamar suas velhas queridinhas. Isso tudo foi em parte ideia dele!

— Você sabe como eu me sinto em relação aos homens — diz minha mãe. — Eu só acho que eles são...

— Criaturas delicadas? — ironizo.

— Eu prefiro o termo *fracas* — retruca Eleanor. — Delicadas implica sermos responsáveis por tratá-los com cuidado.

— Garotos são garotos — diz minha mãe balançando a cabeça. — Não tem jeito de mudá-los.

— Esse é o problema — observo. — Quero dizer, a partir do momento em que começamos a desculpar o comportamento deles dizendo que "garotos são garotos", os homens deixaram de ter motivos para mudar, crescer, renovar-se. Nós mulheres continuamos a evoluir, porque precisamos. Flexibilidade é o nosso traço evolutivo mais forte, é a razão da nossa sobrevivência. Nunca se esperou nada dos homens a partir do momento que alguém cunhou a frase "garotos são garotos". Eles podem simplesmente ser eles mesmos e ter um repertório limitado a arrotos e apalpação.

— E mentir e trair — acrescenta Eleanor.

Minha mãe para para pensar a respeito.

— Você está querendo dizer que esse é um passo para a humanidade?

Reflito um pouco.

— Sim — digo. — Para a humanidade.

E então uma voz fala atrás de mim.

— Para Artie também — diz Elspa, entrando na cozinha. — Remexer o seu passado é difícil, mas importante.
Fico aliviada por ver Elspa e que ela esteve trabalhando duro, que não desistiu. Ela tem que estar conosco nisso.
— Está bem, então — digo.

Nós quatro nos colocamos em semicírculo em volta da cama de Artie. Ele dorme, mas mesmo no sono sua respiração soa um pouco forçada.

— Deixe-o descansar — adverte minha mãe, segurando Bogie e acariciando ansiosamente sua cabeça.

— Ele está cansado — digo. Me surpreende ver como ele envelheceu. — Vamos. Podemos deixar isso para amanhã.

Começamos a nos encaminhar para a porta, quando os olhos de Artie se abrem e se movem de uma para a outra. Ele se ergue sobre os cotovelos.

— Eu já morri e fui para o céu, ou vocês todas sempre me vigiam durante o sono?

— Ele é insuportavelmente convencido — resmunga Eleanor.

— Ah, bem, evidentemente aqui não é o céu, a menos que você esteja de passagem — diz Artie a Eleanor. — Achei que você tivesse ido embora.

— Me pediram para ficar com uma tarefa especial.

— Oh, verdade? — fala ele. — Me matar? Não precisa se dar ao trabalho. Você não ouviu dizer? Estou morrendo!

— Não — diz Eleanor, — não é um plano de assassinato. É mais uma espécie de bota-fora.

Ele se vira para mim.

— Lucy, do que ela está falando?

— Temos um plano. Algo que você queria desde o começo, e Eleanor está encarregada da supervisão — digo a ele com uma estranha falsa alegria na voz.

— Só para constar, Artie — se antecipa minha mãe esfregando as orelhas de Bogie, — eu não fui a favor de nada disso. Eu... A fuzilo com o olhar, e ela se cala rapidamente.

— Achamos que você precisa dar uma organizada no seu passado — diz Elspa. — Pode ser purificante.

— Purificante?!? — repete Artie.

— Suas queridinhas — explico. — Eleanor organizou as visitas delas. Pelo jeito as pessoas levam as coisas mais a sério quando não são chamadas por uma mulher bêbada no meio da noite.

— Verdade? — indaga Artie, sentando-se na cama e refletindo sobre o que foi dito.

Fico imaginando se isso é tudo o que ele tem a dizer. Nada de esquivamentos? Ele não parece ansioso ou intimidado com a ideia. Parece estar... satisfeito consigo mesmo. Na verdade, parece excessivamente satisfeito consigo, o que me deixa ainda mais desgostosa.

— Bem, que legal da parte delas. Quero dizer, elas não precisam, mas acho que se elas querem vir.

— Na verdade você estava esperando ansiosamente por isso — digo, um tanto surpresa.

Artie se recupera.

— Não, não, eu não estava esperando ansiosamente. Não é bem assim. É que, sei lá, soa quase como um elogio...

Eleanor está furiosa.

— Perfeito então. Começaremos amanhã.

— Quem vem amanhã? — pergunta Artie, ainda muito afoito, com um sorriso jovial no rosto.

— Você viu?! — pergunta minha mãe, apontando para Artie como se ele fosse uma evidência à mostra em um tribunal. — Eu lhe disse. Cachorro velho. Truque novo. Ele não pode ser mudado! Homens são criaturas delicadas!

— Cachorro velho? — reage Artie ofendido. Ele olha para Bogie procurando apoio. — Não dê ouvidos a ela — diz. — Ela só está intimidada pela nossa masculinidade.

— Você sabe o que eu quero dizer — retruca minha mãe. — É forma de dizer.

— Vou para casa — diz Eleanor para o resto de nós.

— Não se vá — pede Elspa.

— *Eu* sou o cachorro velho? — diz Artie, brincando.

— É melhor você ser gentil — adverte minha mãe. — Eu estou encarregada do seu funeral. Posso decidir enterrar você ao estilo Liberace. Imagine, chegar no céu num terno de veludo roxo!

— Ou como o coitado do Bogie aqui, ó triste Marquês de Sade do mundo canino? Com um elegante protetor genital? Não seja cruel — diz Artie. — É feio.

— Fique conosco, Eleanor — pede minha mãe, dessa vez olhando feio para Artie. — Pode ser que Artie nunca mude, mas vale a pena tentar.

— Por favor fique, Eleanor — insiste Elspa.

Mas Eleanor não cede.

— Boa noite.

— Ah, vá, me dê uma dica — diz Artie. — Quem vem?

— Boa noite — diz Eleanor, dirigindo-se para a porta com seus passos trôpegos. Seu claudicar não parece uma fraqueza, mas uma força que a propele para a frente, como se sua perna machucada a impulsionasse. — Veremos se você ainda vai estar todo sorrisos quando tudo isso acabar, Artie Shoreman. Veremos — e sai batendo a porta.

— Ela sempre foi chata assim — comenta Artie.

Contudo, agora também estou furiosa. Isso devia me fazer sentir bem, devia me ajudar a igualar o placar. E se essas mulheres estiverem vindo para adorá-lo? E se elas não ensinarem a ele lição alguma? E então? Percebo de repente que nosso plano foi todo construído com base em suposições e que eu posso estar completamente errada.

— Seu filho também virá — digo a Artie. — Mas eu tive que suborná-lo. E você vai ter que se explicar para ele — acrescento num tom cheio de ódio.

Essa parte do plano de fato consegue deixá-lo sobressaltado — as notícias e talvez meu tom também. Subitamente ele parece nervoso.

— John?

— Achei o nome dele na sua agenda, na letra B, como você disse. Bessom.

— Vou ter que tomar um banho de manhã. E vou precisar me barbear também — ele passa os dedos pela nuca, falando mais para si mesmo do que para nós três. — Você tem certeza? — pergunta ele, e seu rosto se suaviza.

Seus olhos estão molhados, brilhando, e, pela primeira vez em um longo tempo, ele volta a me lembrar o homem por quem me apaixonei, apaixonado, ansioso, quase tímido, e isso me faz sentir uma dor por ele. Sinto saudades daquela versão descomplicada de Artie, e me bate um desespero tão agudo que sou pega de surpresa.

— John Bessom — diz ele. — Depois de todos esses anos. Meu filho.

Capítulo 18

OCASIONALMENTE NA VIDA MITOS
SE TORNAM REALIDADE, AGRADEÇA

Lembro-me de um namorado que tive, Jimmy Prather, que mitificava suas ex. Teve a glamurosa, que o trocou por Hollywood; a arquifeminista, que entrou para a política; a doida, que o fez correr nu pela neve para provar seu amor eterno por ela — essa acabou tendo um breve momento de estrelato no início dos *reality shows*. Era impossível competir com tais mitos e, pior ainda, eu sentia que ele fazia o mesmo comigo, me mitificando quando na verdade eu estava ali em carne e osso na frente dele. Não durou muito. Fico imaginando se as queridinhas do Artie também serão míticas. Será que serei capaz de aguentar um desfile delas, uma após a outra? Depois que todas se forem, descobrirei algum padrão psíquico em que me encaixo? Me verei nelas?

Penso em tudo isso no meio da noite — ainda não consegui pegar no sono. Para me distrair, me concentro no meu próprio desfile de queridinhos — o que, aliás, não é uma boa ideia se o objetivo é dormir. Abro as porteiras da memória. Jimmy Prather é apenas o começo. Passo por alguns garotos do colégio — uns tantos atletas, um baterista de uma banda de garagem bem ruim — e outros da faculdade — um cara que passou um tempo me perseguindo depois que terminamos, um estudante de administração preguiçoso que mais tarde ouvi falar que se tornou viciado em drogas e um outro por quem eu era desesperada e virou diplomata. E depois a sequência de más escolhas anteriores ao Artie — colegas de trabalho, alguns caras que conheci em bares, duas propostas de casamento falsas, um vamos-morar-juntos que durou o período recorde de três semanas.

Nunca fui um troféu. Isto é, se alguém me dissesse que eu teria que encarar uma parada com meus queridinhos, minha reação teria sido igual à do Artie — deliciada por ter a oportunidade de vê-los todos de novo — um breve capítulo de *Esta é minha vida*. Mas, e se algum (ou vários!) deles tivesse contas a acertar comigo? O motivo pelo qual o vamos-morar-juntos durou apenas três semanas foi que eu o traí. Conheço a traição de dentro para fora. Claro que eu não era casada. Não tinha feito um juramento de fidelidade. Os pecados do Artie são muito piores, mas mesmo assim meu histórico não é imaculado.

E então me pego pensando em Artie — nossa rotina simples de domingo, com jornais e pãezinhos, nossa celebração do primeiro-dia-quente-da-primavera quando matávamos o trabalho e nos embriagávamos à tarde, a vez em que ele me levou para pescar e peguei uma truta enorme.

Por volta das cinco horas da manhã adormeço com os resquícios de uma consciência pesada e sonho que estou presa debaixo da terra com um jornal, pães e um guaxinim raivoso que usa meu relógio de pulso.

Acordo tarde e, ainda meio sonolenta, enfio um jeans e uma camiseta e vou até a cozinha, onde encontro Eleanor com a prancheta na mão conduzindo as coisas com um profissionalismo um pouco brusco demais. Enquanto tomo café da manhã — feito pela minha mãe, que ainda está zanzando pela cozinha —, ouço a campainha. Eleanor grita um "Eu atendo!" e corre para a porta.

Ouço-a convidando uma mulher a entrar na sala de estar e dizendo a ela que fique à vontade. E então, para meu espanto, a escuto desfiar um rosário de perguntas: Você está carregando alguma arma? Venenos? Explosivos? Percebo que a mulher hesita, mas responde um não indignado atrás do outro. E então Eleanor diz que alguém (suponho que ela própria) em breve fará companhia à outra. Durante todo o tempo, ela mantém uma gentileza forçada na voz, do tipo reservado para assistentes de ginecologistas e secretárias de terapeutas.

Enquanto revejo as imagens que passaram pela minha mente na noite anterior — o guaxinim, o desfile dos meus ex em comparação com as de Artie (agora, nessa versão, algumas delas estão armadas), minha mãe me diz que cancelou o enfermeiro do dia e que Elspa se encontra no andar de cima, ajudando Artie a se arrumar. Minha mãe está lavando a frigideira em que fritou meus ovos. Não consigo comê-los e fico apenas empurrando-os de um lado para o outro do prato. É cedo demais para sentir meu primeiro golpe de ciúmes — Elspa tomando conta de Artie de novo — portanto me seguro. "Deixe que ela o arrume para seus encontros", digo a mim mesma. Mas então imagino Artie passando sua colônia nas faces, e isso faz meu pescoço coçar.

Eleanor reaparece pelo tempo suficiente de abrir o celular, quando então a campainha toca novamente, e ela corre para lá com a prancheta. Quando retorna para pegar uma bandeja de café, copos de isopor, creme e açúcar, diz:

— Nossa cliente das dez e meia chegou cedo e a das nove e meia quer ser adiantada — olho para Eleanor, e ela compreende na hora. — Meu marido era ortodontista. Eu controlava o consultório. Este é o meu trabalho — explica ela.

Minha mãe e eu assentimos com a cabeça.

— E você já trabalhou em companhias aéreas? Segurança? — pergunto.

Ela fica confusa.

— Não — responde.
— Acho que o interrogatório sobre a pessoa estar armada etc. é um pouco de exagero. Dá a impressão de que você vai fazer uma revista completa.
— Você vai começar a confiscar a pasta de dente e os cortadores de unha delas? — pergunta minha mãe, se divertindo.
— Eu estava apenas sendo precavida — se defende Eleanor.
— Deus sabe lá o quanto todas nós já não quisemos matar Artie em algum momento de nossas vidas, então...
— Acho que podemos omitir a lista de perguntas — digo a ela. — Vamos correr o risco.
— Por mim, tudo bem — concorda. Seu celular toca, e ela larga rapidamente a bandeja para atender a chamada.

E de repente me cai a ficha. Duas das queridinhas do meu marido estão sentadas na minha sala de estar esperando para visitá-lo e fui eu que as trouxe aqui — para ensinar a ele algum tipo de lição antes de ele morrer? Qual é a etiqueta nessa situação? Devo me apresentar? Devo levar-lhes a bandeja de café, oferecer balinhas, chiclete?

De qualquer forma, tenho que vê-las com meus próprios olhos. Quero tentar entender por que elas decidiram vir e o que teriam a dizer ao Artie. E, claro, há a questão não resolvida do padrão de queridinhas no qual eu posso ou não me encaixar.

As duas mulheres estão sentadas no sofá, lado a lado, iluminadas pela luz da janela. Uma delas, uma morena de pernas longas e intimidadoras, está folheando uma revista *People*, como se realmente estivesse em uma sala de espera. Foi ela que trouxe a revista? Eleanor providenciou revistas como cortesia? Sinto que falta um aquário e também uma pequena recepção dessas fechadas com uma janela de vidro.

Não consigo abordá-las, então passo correndo e subo a escada. Em vez disso vou ver como Artie está.

Do topo da escada já consigo sentir o cheiro dele. A loção pós-barba, a colônia — a favorita dele, uma fragrância viril que evoca a natureza e um tenista profissional. Me preparo para encontrá-lo todo arrumadinho. Mas, na verdade, quando entro no quarto, vejo que é ainda pior do que eu imaginava. Ele está recostado na cama, com as costas apoiadas em todos os travesseiros, e o cabelo escuro e repicado está cuidadosamente penteado com um monte de produtos. Ele olha para fora pela janela, através da qual tenho certeza que ele só consegue ver o topo das árvores. Ele parece melancólico, mas, na verdade, acho que é pior que isso: está treinando para parecer melancólico.

— É um *robe de chambre*? — pergunto.

Ele não olha para mim. Talvez esteja um pouco constrangido.

— É um roupão. Não quero ficar sentado aqui de pijama.

— Parece um *robe de chambre* — digo.

E de fato parece mesmo. É preto e brilhante, talvez até meio aveludado. Onde ele conseguiu uma coisa dessas?

— Você podia simplesmente vestir uma roupa.

— Muito trabalho — diz ele, como se já não tivesse feito esforço algum.

Percebo agora que Artie está nervoso; está sentado como um adolescente se preparando para o baile de formatura, e, claro, acentuando seu novo atributo — o drama heroico de um homem enfrentando a morte.

— É esforço demais para alguém que está morrendo, você quer dizer? Você precisa se vestir de acordo com seu papel, certo?

— Eu *estou* morrendo — reage ele, meio na defensiva. — Não estou inventando.

Por um breve segundo, quero acreditar que ele está mentindo, que inventou toda essa história de morrer para que pudesse ter um momento como esse — o *robe de chambre*, as queridinhas. Estou errada, claro. Artie é vaidoso. Talvez sua necessidade de se sentir adorado seja sua maior fraqueza. Será que eu não o adorei suficientemente? Alguém teria sido capaz de lhe dar o suficiente? O desejo de estapeá-lo cresce dentro de mim com tanta rapidez que fico chocada.

— E então você quer aproveitar o papel, certo?

— Eu gosto de agradar a multidão — responde ele, agora olhando para mim. — Eu dou o que elas querem. Além disso, você sabe, não é todo mundo que tem a chance de fazer esse papel. Uma pessoa pode ser atropelada por um ônibus e fim. Nada de cenas de morte de verdade ou coisa assim.

— Eu tiraria o robe — digo a ele. — Faz você parecer um pouco desesperado, como minha mãe naquele vestido dourado muito decotado.

— Não é um *robe de chambre*. É um roupão!

— Como quiser.

Saio do quarto e desço a escada sentindo-me ofendida por Artie querer ver todas essas mulheres. Eu não esperava tamanha expectativa. Será que ele não podia pelo menos ter fingido um pouco de desinteresse, para o meu bem? E não é que essas mulheres podem fazer justamente o oposto do que eu esperava; elas podem vir e arruinar tudo que planejamos dando ainda mais amor e adoração a ele. O problema real é que, mesmo agora, não sinto que eu seja completamente suficiente para Artie. Seu coração ainda não é totalmente meu.

Contudo, o fato de ele estar nervoso me dá um pouco de confiança. Quero revanche, uma boa dose de vingança. Quero que Artie reconheça, de uma vez por todas, que tratou as mulheres de uma forma abominável, que ele assuma a responsabilidade por suas ações. Paro no fim da escada, cruzo o corredor rapidamente e entro em minha própria sala de estar, de jeans e camiseta, sem maquiagem, com a mão estendida.

— Oi, sou a esposa de Artie — me apresento.

A morena pernuda coloca a revista no colo e olha para mim sem expressão. A outra mulher é pequena e usa os cabelos loiros num corte chanel e com a franja desfiada. Ela estava olhando em direção à escada e se assustou quando entrei.

— Oh — diz ela, com a mão no peito. — Não esperava encontrá-la.

Ninguém corresponde à minha tentativa pouco entusiasmada de aperto de mão, então enfio a mão no bolso de trás da calça.

— Artie é casado? — pergunta a morena pernuda, completamente chocada.

— Você não sabia? — se surpreende a loira.

— Como você sabia? — pergunto.

— Oh! — exclama a loira. — A mulher mencionou ao telefone.

A morena balança a cabeça e então me olha de cima a baixo.

— Bem, então finalmente ele sossegou e se *acomodou*.

Não gosto da ênfase que ela dá à palavra *acomodou*, e há um *com você* implícito que não me agrada nada. Subitamente me arrependo de não ter me arrumado, colocado maquiagem e saltos altos. Minha mãe teria lançado mão de armas pesadas numa ocasião como essa. E talvez ela estivesse certa. Meu jeito descontraído pretendia ser uma afirmação da minha confiança, como se eu não precisasse me arrumar para competir com todas elas. Essa competição já acabou há tempos, e, a menos que essas mulheres tenham esquecido, eu ganhei. Mas, em vez disso, me sinto sem brilho, vulnerável, acomodada. Será que foi por esse motivo que Artie me escolheu entre todas essas mulheres, porque eu representava algo seguro, mas ao mesmo tempo ele desejava algo mais perigoso?

— É um prazer conhecê-la — diz a loira, tentando compensar o constrangimento. — Eu sinto muito. Quero dizer, nessas circunstâncias.

Seus olhos se enchem de lágrimas, e fico apreensiva com relação a ela. Será que vai infernizar o Artie, ou vai entrar lá e se lamentar?

— Nessas circunstâncias? — questiona a morena. — O Artie tem é sorte de ter chegado até aqui, de não ter levado um tiro na cama com a mulher de alguém — ela olha para mim. — Sem ofensa — diz, mas não tenho certeza se ela está se referindo a mim ou a uma esposa qualquer, genericamente falando. — Quando você e Artie se casaram? — quer saber.

— Quando você e Artie namoraram? — rebato.

— Há uma década — responde ela. — Mas ele ainda me deixa puta da vida.

— Artie tem esse poder — sentencia a loira e depois acrescenta: — Quero dizer, tenho certeza de que ele é um ótimo marido, mas como namorado era péssimo. Isto é, quando você não é a favorita dele.

— Qual o seu nome? — pergunto à loira.

— Spring Melanowski — responde ela.

— Spring? — repito. Como em *Springbird*? Tenho vontade de perguntar.

— Eu nasci em abril — acrescenta ela. E então seus olhos ficam marejados de novo. — Eu só não quero ficar chocada se ele estiver muito diferente — diz ela. — Se ele estiver muito adoentado. Se ele estiver parecendo que vai...

Esse transbordamento de emoções me faz pensar que Artie ainda é uma ferida aberta. Faz quanto tempo?

— Ele é um artista — digo. — Tenho certeza de que vai se mostrar animado para você — e então aproveito uma pausa na conversa e acrescento: — Você conhece o Artie!

Isso foi um erro grave.

A loira balança a cabeça dizendo que sim, nervosamente. E a morena sorri para mim de um jeito que significa "E como conheço". E de repente fico embaraçada e sinto meu peito inundado de ciúmes. Essas duas mulheres conhecem Artie e cada uma do seu jeito particular e íntimo. Elas o conhecem de maneiras que eu jamais poderia. Todas essas mulheres que estão aqui agora possuem pedaços do Artie... E o pedaço pertencente a essa Spring Melanowski pode ter sido a causa da destruição do meu casamento. Um belo dia, eu pelo menos tive a ilusão de que ele era meu, totalmente, mas agora não posso mais fingir.

A loira está chorando de novo, o que irrita bastante a morena pernuda e, mais importante, a mim também.

— Olhe, querida, eu sei por que estou aqui — diz a morena e então pergunta à loira de forma acusatória: — Você sabe?

É um momento tenso, e fico imaginando se a loira vai desabar. Por que ela está aqui? Todas essas mulheres têm um x marcado ao lado de seus nomes. Todas elas terminaram em maus termos com Artie. A loira tira um lenço de papel da bolsa, assoa o nariz e afasta a franja do olho. A morena e eu ficamos ambas esperando uma resposta. Ela vai responder? A loira olha para mim e depois para a morena. Sua voz se torna dura como aço.

— Eu sei muito bem por que estou aqui — afirma ela.

Eu não tinha percebido até esse momento, mas de repente me dou conta de que estou inclinada na direção das duas mulheres e então recuo. Perco o equilíbrio e para compensar meu cambaleio para trás dou um passo para a frente, batendo com a canela na mesinha de centro, onde eu havia colocado a bandeja. As colheres tilintam. Me curvo segurando na mesa.

— Merda — digo.

Nesse momento, percebo o que fiz. Reuni os lobos e estou mandando um a um à caça de Artie. Ele merece isso? Olho para Spring (bird?). Sim. Ele merece. Ambas as mulheres estão em pleno controle de suas faculdades, cada uma do seu jeito. Artie falhou com elas. Elas mereciam coisa melhor. Eu merecia coisa melhor. Fico me perguntando se não estou enviando essas mulheres para fazer o meu próprio trabalho sujo. E por que eu não quero encarar Artie? Tenho medo de fraquejar, de ceder? Mas o que esse medo vai me custar? É possível que o desfile de queridinhas seja tanto para mim quanto para ele. Talvez, de alguma forma, eu tenha armado tudo isso na esperança de que a dor de ver todas essas mulheres tornasse mais fácil vê-lo partir.

— Você está bem? — pergunta a loira.

— Isso vai deixar um belo hematoma — comenta a morena.

— Estou bem — digo. — Obrigada por virem. Tomem um cafezinho.

Não sei como sair com elegância, nem mesmo sei o que tenho que fazer agora. Mas não preciso pensar muito. Sou salva por uma batida na porta e me adianto antes de Eleanor. Me desculpo, correndo para a porta, mas hesito antes de pousar a mão na maçaneta. Sinto-me nauseada porque não quero encontrar mais uma das queridinhas, mais uma mulher trazendo sua revista *People* e sua versão secreta de Artie para dentro da minha sala de estar.

Mas estou parada aqui e tenho que atender a porta. O que mais posso fazer?

Abro-a, olhando primeiro para a soleira e me forçando a olhar para cima.

Então ouço uma voz de homem.

— Cheguei — anuncia a voz.

E aqui está John Bessom. Ele passa uma mão pelo cabelo loiro, abaixando o topete, depois enfia a camisa para dentro da calça e de repente parece incrivelmente jovem, nervoso como um garoto.

— Você chegou — digo, aliviada.

Ele olha em volta.

— Eu sei — fala, se inclinando para a frente. — Acabei de dizer isso.

Estou desorientada. A camisa dele é tão azul. O dia está fresco, o quintal tão verde. Há todo um mundo lá fora.

— Você não vai me convidar para entrar? — pergunta.

— Não — respondo, deixando-o embaraçado por um momento.

— A agenda de Artie está cheia — e olho por cima do ombro. — Obrigada novamente por ter vindo — digo à morena. E depois para a loira srta. Melanowski: — Até mais tarde, *Springbird*.

A loira se vira bruscamente em minha direção com a expressão chocada de quem escutou algo bastante familiar — um gesto inconfundível que quer dizer "Como você sabe disso?".

Então me viro para John:

— Vamos sair daqui.

Capítulo 19

POR ONDE UM PASSEIO DEVE COMEÇAR?
PELO CORAÇÃO

John dirige com a janela aberta, e o ar quente sopra dentro do carro. Eu disse a ele que fosse para o centro de Philly, e por isso estamos agora correndo pela Rota 30. Quase tudo que tenho a contar sobre Artie pode ser encontrado no centro da cidade — sua infância no lado sul, o hotel onde ele trabalhava como mensageiro, a Universidade da Pensilvânia, que ele gosta de dizer que frequentou (logo no início ele me confessou que na verdade assistiu apenas a algumas aulas noturnas lá, uma de história da arte e outra de como falar em público), e os lugares onde nos conhecemos e para onde fomos em nosso primeiro encontro. Estou aproveitando o passeio, reclinada no banco do passageiro com a cabeça apoiada no encosto.

— Acho que devo começar a falar, não é? — digo. — Afinal sou a guia do passeio. Eu deveria estar dizendo "À sua esquerda, você verá... e à sua direita, preste atenção no..." Mas há tantas coisas que não sei sobre Artie e só me dei conta disso agora — penso no sorriso satisfeito da morena de pernas longas e no balançar de cabeça nervoso da loira.

— Limite-se ao que você sabe, então.

— Ok. Nós nos conhecemos num velório, na verdade, num bar irlandês chamado brilhantemente de Irish Pub.
— Sério? — pergunta John. — Isso é meio mórbido.
— Um cara chamado O'Connor tinha morrido. Artie o conhecia desde garoto, e eu tinha contato com a filha dele no trabalho. O velório foi muito agradável. As pessoas riam, choravam, bebiam e faziam grandes discursos. Artie contou uma história ótima sobre o dia em que O'Connor, sabe-se lá como, deixou o coelho da filha escapar e ele e Artie, ambos embriagados, passaram a tarde e a noite tentando recapturar o animalzinho. Artie era tão cheio de vivacidade. Vire aqui.
— Fui eu que me aproximei dele. Eu estava completamente bêbada. Então dei meu cartão a ele e disse que eu queria contratá-lo para o meu velório. Eu disse que ele fazia ótimas eulogias. Então ele me falou que custava caro, mas que me faria um desconto. Vire aqui. Deve ser logo virando a esquina.

John para o carro em frente ao bar, um lugar típico e humilde. Não tem uma placa na porta com os dizeres "Lucy e Artie se conheceram aqui".

— Você quer entrar? — pergunta John.
— É um *pub* irlandês. Não. Você sabe como é.
— Sempre achei que as eulogias acontecem tarde demais — diz John. — Deveria ser obrigatório que as pessoas recebessem eulogias enquanto ainda estivessem vivas.

Penso nisso por um minuto.

— Sem caixão. Sem lírios...
— Sem líquido embalsamador — acrescenta ele.
— Sem agente funerário no estilo linha de montagem.
— Tudo isso pode vir depois. Mas todo mundo devia poder ouvir essas homenagens. Só as coisas boas.
— Acho que você tem razão.
— Eles conseguiram pegá-lo? — pergunta John.
— Pegar quem?

— O coelho.
— Ah, o coelho. Sim, eles conseguiram pegá-lo e ficaram tão aliviados e bêbados que começaram a chorar. Os dois juntos, dois marmanjos com um coelhinho branco, e só choravam.
— Gostei da história.
John para no farol vermelho e olha para ambas as direções.
— Para onde?
Para onde?
Meu primeiro encontro com Artie: O coração.

O coração gigante é exatamente como eu lembrava — enorme, da altura de dois andares, de plástico vermelho e roxo e sobre ele estão entalhadas as grandes artérias e veias —, só que maior e mais gordo. Será que ele inchou? Ficamos na fila junto com alguns pais e seus filhos. As crianças gritam abafado dentro do coração, mas alto e claro fora dele e geralmente puxam os pais de volta para a fila para começar todo o passeio outra vez.

— Artie visitou o Franklin Institute numa excursão com a escola quando era criança, mas o coração estava fechado, sendo operado, como disse a professora.
— Este coração está aqui há tanto tempo assim?
— Desde os anos cinquenta. Mas no início era feito de papel machê porque era para ser uma exposição temporária. Só que daí se tornou tão popular que passou a ser continuamente reformado. Quando a classe de Artie esteve aqui, o coração estava em uma dessas reformas. As crianças podiam vê-lo, mas só do lado de fora. E foi por isso que ele me trouxe aqui no nosso primeiro encontro.

Lembro-me dele me contando a história exatamente nesse ponto, esperando nesta fila. As crianças faziam barulho, mas ele ficou bem atrás de mim e sussurrava no meu ouvido.

— Artie sabia que os pais dele não o trariam de novo quando reabrisse; sabia que aquela era sua única oportunidade, então ele

ficou para trás amarrando o cadarço do sapato e, depois que a classe seguiu em frente, escapuliu para dentro da área cercada.
— Ele entrou no coração?
— Não. Também lhe perguntei isso. Ele estava assustado demais. Acho que só queria tocar o coração, ver se ele batia. Artie colocou suas mãos no coração e depois encostou o ouvido nele, como um médico. Mas não era um coração de verdade. É a nossa vez de entrar. Subimos a escada estreita que forma a artéria principal que leva ao coração. Ouvimos os efeitos sonoros. Ele bate, pulsando sangue. Os corredores tortuosos são escuros. Foi aqui que Artie me beijou — nosso primeiro beijo. Não conto a John esse detalhe. Penso em Artie tocando minha face, virando meu rosto em direção ao dele. A pausa. O beijo. Mas mesmo essa lembrança está cheia de incertezas agora. Ele realmente escapuliu da excursão da escola para ver se o coração era real? E, se isso de fato aconteceu, quantas mulheres Artie seduziu neste coração, talvez até na mesma câmara? Será que a pequena Springbird Melanowski esteve aqui? Percebo que esse é exatamente o tipo de coisa que devo contar a John. Ele não conhece a verdade sobre Artie, e estou aqui para apresentá-la. Mas não consigo. Não aqui. Não agora.

Um bando de garotos particularmente bagunceiros, vestindo o mesmo uniforme escolar azul, sai empurrando todo mundo ao meu redor no ventrículo direito. O espaço é pequeno, apertado demais para toda essa gente, e resolvo ir embora. Para que ficar mais? Olho para trás, mas não vejo John. Então sigo o fluxo através das câmaras e finalmente saio.

Olho em volta novamente, mas John não está em lugar nenhum. Fico um pouco preocupada me perguntando se perdi o filho de Artie. Mas então me lembro de que ele é adulto, não uma criança de cinco anos.

Volto para a fila, que se move rapidamente dessa vez. Entro e chamo o nome dele, baixinho a princípio, mas depois um pouco mais alto. E eis que então me encontro novamente no mesmo ponto onde Artie me beijou pela primeira vez — o lugar que sempre pensei como sendo o do *nosso* primeiro beijo. Mas com quantas outras mulheres compartilho isso? Por que razão, quando alguém é desonesto, tudo que diz respeito a ele fica envolto em dúvidas? O coração está batendo mais alto? Ou é meu próprio coração que pulsa em meus ouvidos?

— John! — grito. — John Bessom! — eu gostaria de saber seu nome do meio. Se eu soubesse, certamente o usaria inteiro.

Vou me equilibrando apoiada na superfície interior de plástico, abrindo caminho pelo fluxo, saindo de uma câmara e entrando em outra. Estou meio sem fôlego, ali de pé, vasculhando a multidão. Quando encontro John, me sinto inundada de alívio ou alegria. A intensidade me surpreende. É como se, por um momento, eu o tivesse dado realmente por perdido e pensado que nunca mais nos veríamos de novo.

Ele está dentro do coração agachado em um joelho e ao lado de um menininho de camisa branca pontilhada de mostarda, que está chorando e já tem o rosto brilhante de ranho.

— Ela vai voltar — diz John. — Ela falou para você ficar no lugar caso se perdesse. Então vamos ficar no lugar porque esse coração é muito grande. Deve ter pertencido a uma pessoa muito grande. Você não acha?

Ele parece tão seguro de si com essa criança perdida e confusa. Há algo de especial numa pessoa que consegue se relacionar com crianças, não, que consegue vê-las como um ser humano e quase imediatamente se transportar para o mundo delas. Sua voz não tem nada daquela falsa doçura cantada. Ele conversa normalmente, cuidando do garoto, distraindo-o para que se acalme. O menino ergue os olhos para o coração e, por um momento, para de chorar. Percebo que é isso que quero, ser encontrada, ser cuidada. Talvez seja o que todos nós queremos. O que tanto mais podemos pedir?

— John Bessom — chamo, como se dissesse seu nome pela primeira vez.
Ele olha para cima.
— Nós nos perdemos — diz ele. — Mas está vendo — ele fala para o garoto, — eu fui encontrado pela minha pessoa. Você vai ser encontrado pela sua.
— Mamãe! — grita então o menino, e por um instante acho que ele vem em minha direção. Até me preparo, mas ele passa reto. Uma mulher com o cabelo preso para trás num rabo-de-cavalo o agarra, e ele se abraça aos quadris dela.
— Tudo bem — diz ela. — Está tudo bem agora. Está tudo bem.
John olha para mim e posso ver pela sua expressão que de algum modo meu semblante desmoronou. Ele parece um pouco preocupado, mas então sorri e estende a mão.
— Você quer segurar minha mão desta vez para eu não me perder mais?
Tenho vontade de dizer "Sim, sim, é tudo que eu mais quero agora". Mas apenas pego na mão dele, e ele me leva para fora do coração.

John me deixa em casa, e vejo que está acontecendo uma reunião improvisada. Elspa, Eleanor e minha mãe estão lá comendo pão sírio com queijo *brie* e bebendo vinho nos copos que Artie e eu ganhamos no nosso casamento. Bogie foi deixado em casa, imagino.
— Havia três divorciadas, duas viúvas, uma solteira — diz Eleanor, consultando mais tabelas. — E também uma advogada muito emotiva, uma ex-*stripper* que fala baixo e está aprendendo a linguagem de sinais, uma professora de russo peituda...
— Artie fala russo? — pergunta Elspa, sempre procurando o lado positivo de meu marido. — Eu não sabia.
— Hum, uma vez eu o ouvi falar a palavra *cigarietta*, que ele dizia ser russo... — consigo dizer.

— A russa fumava — comenta minha mãe em tom reprovador e, ao que me parece, com um fundinho de medo de que eu achasse que ela se arrepende por ter deixado uma comunista entrar na minha casa. — Ela passou a maior parte do tempo no degrau da frente, apagando os cigarros num vaso.

— Ele ficou com o *robe de chambre* esse tempo todo? — pergunto.

— *Robe de chambre?* — indaga Eleanor. — Não, só com o pijama.

— Artie tem um *robe de chambre?* — pergunta minha mãe, um pouco impressionada.

— O que é um *robe de chambre?* — quer saber Elspa.

— É uma espécie de camisa, de roupão, que os homens usam para ficar em casa — tenta explicar minha mãe.

— Bem, eu gostei da *stripper* — diz Elspa. — Ela está fazendo residência numa escola para surdos para ver se gosta.

— E a chorona. Gostei muito dela — diz minha mãe. — Ela ficou para tomar um chá.

— Spring Melanowski? — pergunto.

— Melanowski? — quer saber Eleanor, verificando as anotações em sua prancheta. — Mulher estranha. Ela foi embora antes de chegar a vez dela. E resmungou alguma coisa sobre estar perdendo outro compromisso.

— É mesmo? — digo. — Ótimo.

Quero saber sobre as mulheres de Artie mas ao mesmo tempo não quero. Sinto-me como quando era criança assistindo a filmes de horror. Eu cobria os olhos mas espiava por entre os dedos. Será que quero saber quem ele dispensou e quais o abandonaram? E os detalhes — o porquê, como foi, o que deu errado? Não. Na verdade não. Achei que tivesse mais estômago para isso, mas não tenho. Todas elas me fazem sentir meio enjoada. Fico esperando que sejam menos atraentes que eu, mais frágeis e amargas, para que eu possa me dar ao luxo de desdenhá-las. Mas sei também que é um clube ao qual pertenço — o das mulheres de Artie —, então não quero que elas sejam feias, frágeis e amargas demais.

— Acho que não devíamos nos envolver demais com os *indivíduos* em particular. O que estamos tentando alcançar aqui é um efeito cumulativo — lembra Eleanor. — Vamos manter os olhos focados no prêmio. No longo caminho. No que é realmente importante...

— Espere — digo. — Só um segundo. E Artie? E nosso prêmio? Ele parece estar arrependido?

— Ele está dormindo — diz Elspa.

— Ele parece estar...? Ele mencionou...? — não sei exatamente que tipo de pergunta estou querendo fazer.

— Olhe — diz Eleanor, — esse foi só o primeiro dia. Essas mulheres, mesmo as que jogam cigarros nos vasos, talvez especialmente elas, todas vão causar algum efeito. Em geral costumo ter fé nas mulheres desprezadas.

Minha mãe está preocupada comigo. Seu rosto se fechou, e esse é um daqueles momentos estranhos em que nos vemos nos rostos de nossas mães. É apenas um *flash*, um fantasma de você mesma dentro de alguém.

— Lucy, conte como foi seu dia com o filho do Artie.

— Marquei para que ele se encontre com o pai amanhã de manhã, por meia hora — relata Eleanor secamente.

— Isso vai deixar Artie feliz — diz Elspa, compensando a frieza na voz de Eleanor.

— Elspa avançou um pouco nas notas sobre os pais dela — me conta Eleanor.

— Não é fácil — observa Elspa.

— Amanhã você e Lucy vão dar uma revisada nisso — diz minha mãe a Elspa, tendo já se esquecido da sua pergunta sobre John Bessom. — Ela vai conseguir fazer tudo direitinho.

— A agenda amanhã começa com o filho de Artie pela manhã e depois tem uma mulher que vem de Bethesda... — continua Eleanor.

A conversa voltou a engatar, e eu estou cansada. Há vozes demais. Então resmungo que estou indo para a cama e saio da sala.

Minha mãe me segue, me alcançando no corredor.

— Você está bem? — ela quer saber. — Isso está sendo demais? Se estiver, podemos cancelar tudo.

— Todas essas coisas... a vida é demais — lamento. — Artie morrer é demais. Dá para cancelar isso também?

Ela sorri tristemente e balança a cabeça.

— Vou lá para cima ver Artie respirar — digo. Quero saber se seus pulmões ainda estão bombeando ar.

Ela assente com a cabeça e me observa subir a escada.

O quarto de Artie ainda cheira levemente a colônia. Sento-me numa poltrona e puxo os joelhos contra o peito. Não sei quem mais se sentou aqui hoje, ou o que aquelas mulheres tinham a dizer a ele, ou o que ele tinha a dizer a elas. Eu poderia acordá-lo com um empurrão e lhe contar que encontrei Springbird e interrogá-lo sobre a morena, mas decido não pensar nisso agora.

O rosto dele está relaxado, e ele respira suavemente. O *robe de chambre* não está à vista. Lembro-me de um dos bilhetes dele para mim — um daqueles que estão enfiados na minha mesinha de cabeceira. Não lembro que número era, mas sei que dizia assim: o jeito como seus lábios macios algumas vezes se fecham e sopram o ar enquanto você dorme. Não me lembro de ter observado Artie dormindo quando estávamos juntos, mas ele me observava. Ele tem uma atenção profunda, fruto do seu amor, que é aguda e sensível. Mas ele realmente me ama? Será que é possível ele me amar e ainda assim me trair? No mínimo, sinto que ele me deve mais amor para compensar a traição. Ele me deve.

E então penso em John Bessom no carro do lado de fora do bar "Deveria ser obrigatório que as pessoas recebessem suas eulogias enquanto ainda estivessem vivas". Mas os bilhetes não são um tipo de canção de amor? E as melhores eulogias também não são um tipo de canção de amor? E o que eu vou dizer sobre Artie quando chegar a hora?

Capítulo 20

Não confunda seu amante com um salvador

Os dias são todos diferentes, mas mesmo assim já começam a se confundir. Cada uma de nós encontrou um ritmo estranho. Frequentemente há mulheres na sala de estar, bebendo café da bandeja que Eleanor coloca lá para elas e comendo alguns biscoitos caseiros que minha mãe não conseguiu deixar de fazer — ela não resiste a uma plateia. E, puxa vida, que plateia que ela tem!

As queridinhas de Artie não têm um padrão — pelo menos nenhum perceptível. Tem mulheres de todos os tipos. Algumas são peruas e chamativas. Outras, refinadas e elegantes. Há timidez, vivacidade, coragem. Umas vestem cardigãs e sapatos confortáveis; outras, *tops* curtos e sapatos de salto.

Se formos analisá-las apenas em termos de biscoitos, podemos classificá-las da seguinte forma: algumas mordiscam os biscoitos educadamente; outras os recusam e reclamam da dieta; e várias se fartam de comer e ainda embrulham alguns extras e guardam na bolsa.

Bogie se delicia com elas. Mesmo sendo castrado, não dispensa um paparico e rebola pela sala implorando por pedacinhos de biscoito, lambendo as pernas nuas e pedindo afeto. Uma vez ele até tentou cruzar com uma bolsa longa e cilíndrica — meio parecida com uma dachshund fêmea.

E agora estou aliviada por Springbird ter chegado cedo e ido embora. Não tenho mais que procurar por ela, embora deva dizer que tenho a tentação de perguntar a cada uma das queridinhas o que elas acham de elevadores. Algumas delas eu jamais vou esquecer.

Sra. Dutton

É velha, velha mesmo. Seu cabelo é seboso, suas mãos têm as juntas salientes e seus sapatos de amarrar têm solas grossas de borracha. Mas, sob o unguento para artrite, há uma nota de perfume ousado.

Eu lhe faço algumas perguntas.

— Então, como você conheceu o Artie?

— Eu fui professora dele de álgebra na escola — diz ela se apresentando de um modo professoral: — Meu nome é sra. Dutton.

Fico esperando que ela se levante e o escreva com letras grandes e floreadas numa lousa.

— Ah! — exclamo. — A senhora o conhecia bem?

Ela sorri pacientemente e faz que sim com a cabeça.

— E manteve contato com ele ao longo dos anos?

— Não muito — diz ela. — Meu marido não gostava dele.

Suponho que o marido seja a razão pela qual o nome da sra. Dutton tem um x ao lado. Maridos podem realmente ser um problema num romance.

— Entendo — digo.

— Acho que você não entende não — retruca. — Mas tudo bem.

Ela dá um tapinha no meu joelho e pisca para mim.

Marzie segurando o capacete de moto

Logo depois de a sra. Dutton partir, chega uma lésbica. Minha mãe é quem atende a porta e volta para a cozinha para cochichar comigo e com Eleanor:

— A próxima mulher que está aí para ver Artie é... meio *sapata*. E ela está carregando um *capacete de motocicleta*. Além disso está vestindo uma camisa masculina sem *manga*.

Minha mãe está tão perturbada que até precisa lavar as mãos e se sentar um pouco. Me ofereço então para levar os biscoitos. A mulher de nome Marzie é muito amigável e veio de moto de Jersey. Artie não a vê há tempos.

— Estou ansiosa para surpreendê-lo — me segreda ela.

— Bem, ele provavelmente viu seu nome na lista — digo a ela. — E com certeza deve estar esperando por você.

— Não acho que ele esteja *me* esperando — diz ela com uma risada. — Eu não sabia quem eu era na época em que namorei Artie, mas ele me fez descobrir a luz.

— Artie a ajudou a descobrir quem você é na verdade? — pergunto. — Você se importa de me dizer como ele fez isso exatamente?

— Como posso explicar? — diz Marzie, pegando um biscoito. — Ele se colocou como o melhor dos homens, você entende o que eu quero dizer?

Faço que sim com a cabeça. Artie convence até a si próprio às vezes.

— E, quando ele realmente não funcionou para mim, bem, então imaginei que, se o homem mais perfeito do mundo não me provocava nenhuma reação, talvez nenhum homem o fizesse. Nunca.

— Ou talvez ele tenha blefado um pouco? — sugiro. — Sei lá, o melhor dos homens? Quem pode dizer isso.

— Acho que era apenas autopromoção. Mas era o único parâmetro que eu tinha para me basear. E ele não me causava nada, na cama. Nada! Nada mesmo! — Marzie conta tudo isso muito alegremente. — Então, entendi algumas coisas.

— Se você não se importa — digo a Marzie, — eu realmente gostaria que você dividisse tudo isso com Artie. Acho muito importante que ele saiba que não lhe causava nada na cama... Todas essas coisas.

Isso é uma reviravolta tão maravilhosa que eu mal consigo me conter. Artie tem que saber de seus fracassos sexuais, que ele conseguiu afastar uma mulher não apenas dele mesmo, mas de todos os homens. Eu não poderia ter imaginado um roteiro melhor.

— Tudo bem — diz ela. — Com prazer! Eu devo a ele, você sabe.

— Bem, então agora é a hora de retribuir!

Junior

Depois, nessa mesma tarde, aparece à porta uma mulher com mais ou menos a minha idade. Ela tem cara de quem trabalha período integral em algum escritório e saiu mais cedo hoje. Me apresento como esposa de Artie. Ela então pega minha mão e diz:

— Eu sinto tanto.

Mas não sei se ela sente por Artie estar morrendo, ou por eu ser a esposa dele, ou por ela ter sido sua amante.

— Sente-se — digo a ela. — Coma um biscoito.

Indico a sala de estar, onde outra mulher já está esperando, lixando as unhas. Esta tem mais ou menos a idade de Artie, talvez até seja alguns anos mais velha.

Quando a moça trabalhadora penitente entra na sala de estar e vê a mulher mais velha, ela para.

— Que diabos *você* está fazendo aqui?

A mulher mais velha se levanta, derrubando a bolsa que estava no colo.

— Oh, querida — diz ela. — Deixe-me explicar.

— Não! — grita a moça trabalhadora. — Não, não, não! Isso é tão típico de você! Eu achei que fosse tudo culpa do Artie, mas parece que não! Por que você sempre teve tanta inveja de mim? Por que você não consegue simplesmente viver a sua vida? Como uma mãe normal!

Fico ali parada, totalmente paralisada.

A moça trabalhadora vira as costas rapidamente e sai batendo a porta da frente. A mulher mais velha se curva para pegar o conteúdo que caiu de sua bolsa.

— O que eu posso dizer? — ela olha para mim e se senta. — Ela sempre foi uma criança muito dramática — e balança a cabeça cansada. — E, além do mais — acrescenta ela, — a culpa é realmente quase toda do Artie.

Não tenho tanta certeza disso.

A FREIRA

Eleanor gosta de ficar ao pé da escada escutando as conversas mais ruidosas e acaloradas. Algumas vezes vai para o andar de cima e fica, menos sutilmente, no corredor. E, de quando em vez, faz algumas anotações, mas não sei o que exatamente. Mais de uma vez a ouvi resmungar maldições direcionadas a Artie.

Ocasionalmente acontece de alguma mulher começar a gritar lá em cima, a voz ressoando pela casa toda. Uma das vezes foi uma ruiva tão passional que todas nós corremos para ouvir. Ela gritava:

— Eu era freira quando conheci você!

— Você fazia o papel de uma freira numa versão mambembe de *A Noviça Rebelde*. Não é a mesma coisa! — retrucou Artie.

Fez-se um silêncio mortal, e então a mulher disse:

— Como você *ousa*. Era uma produção do Sindicato dos Atores.

A MULHER COM A TRAVESSA

Foi Eleanor quem a convidou para entrar. Eu estava na cozinha, sem prestar atenção, com os olhos fixos em algumas planilhas que Lindsay havia me enviado pelo fax. Mas depois escutei a parte da história que não presenciei. Foi assim.

A visitante chega corada, mas demonstrando suficiente preocupação como pede a ocasião de uma morte iminente. Ela entrega a Eleanor uma lasanha embrulhada em papel alumínio.

— Não coloquei muitos temperos. Não sabia que tipo de efeito poderiam ter.

Ela olha para as mulheres reunidas na sala de estar, folheando revistas.

— Bem, não era necessário — diz Eleanor.

— É o mínimo que eu podia fazer — se justifica a mulher.

— Eu estava me sentindo meio inútil.

— Tudo bem, então. Qual é o seu nome?

— Jamie Petrie. Eu moro aqui na rua.

— Artie — murmura Eleanor. — Bem, a essa altura, acho que nada do que ele fez me surpreende mais.

— Perdão? — interrompe a mulher.

— Não me lembro de ver seu nome na lista — diz Eleanor.

— Que lista?

— Por que você não se senta?

— Lucy está aqui? Eu gostaria de vê-la.

Eleanor olha para a mulher.

— Lucy — diz ela. — Vejamos. Sente-se.

A mulher então se vira para Eleanor.

— Quem são todas essas mulheres? — sussurra.

— As outras queridinhas de Artie. Você pensou que fosse a única?

— A única? — a mulher fica rígida. — Eu sou uma representante da Vela de Festa — diz ela, como se isso explicasse tudo.

— Espere um momento, por favor — pede Eleanor e entra na cozinha dirigindo-se a mim: — Alguém está tentando entrar de penetra com uma lasanha e sem horário marcado. E acho que ela também quer falar com você.

— Comigo? — pergunto.

— É.

— Eu não quero falar com nenhuma delas. Para mim seria um excesso de informação.

— Bem, essa pode ser interessante. Ela disse que é uma vizinha. Uma representante de velas? Que diabos é isso?

Paro um minuto. Meu primeiro pensamento é que desprezo Artie Shoreman. E um ódio verdadeiramente vívido se levanta em mim. Ele teve um caso com uma de nossas vizinhas? Meu segundo pensamento é: uma vizinha? Não. Artie confessou tudo. Ele confessou demais. Uma vizinha com uma travessa de lasanha? Uma representante de velas?

— Oh, não! — exclamo. — O que você disse a ela? Não, não, não.

Corro para a sala de estar e lá está Jamie Petrie, minha vizinha. A representante da Vela de Festa. Ela já aproveitou o momento para distribuir seu cartão para todas as mulheres ali. Nunca gostei dela, posso dizer honestamente. Ela é arrogante e costuma se empolgar demais com coisas como sua nova linha de aromas para o outono, todos, do amaretto à cidra de maçã. Toda vez que a encontro ela se coloca à disposição para o caso de "Eu precisar de alguma vela perfumada". Nunca precisei de velas perfumadas.

— Por favor, me liguem se algum dia vocês precisarem organizar uma festa! — fala ela às outras mulheres, que a olham completamente confusas.

— Jamie! — digo. — Que bom ver você! Obrigada por aparecer!

— O prazer é meu — diz ela. — Eu estava tão preocupada. Isto é para você — fala tirando da bolsa uma caixinha branca com laço roxo. — Tem perfume de lavanda. É ótima para promover curas.

— Obrigada.

— Isso é a prova de que existe uma vela perfumada para *cada* ocasião!

— Até na morte — completo.

— Isso mesmo!

Ela ignora o constrangimento e aproveita a chance para fazer sua propaganda, olhando ao redor da sala para as clientes em potencial e anunciando:

— Estou tão feliz por ter escolhido este momento para aparecer! Sempre gosto da oportunidade de me reunir com mulheres. É importante reservarmos um tempo umas para as outras e para nós mesmas!

— Verdade — digo. — Aceita um biscoito?

Negação, negociação e, finalmente, a opinião de Eleanor sobre tudo isso

Outra mulher desce a escada e vai se encaminhando elegantemente para a porta da frente. Ela então para e se vira para as outras mulheres.

— Ele negou ter me traído. Vocês conseguem acreditar nisso? Ele disse que não se lembra da história assim — ela olha para todas. — Boa sorte para todas vocês — e vai embora.

Mais tarde, uma outra mulher conta, a caminho da saída, que Artie tentou barganhar com ela.

— "O que seria preciso para que você esquecesse como fui pilantra? O que eu teria que fazer?" — a mulher agarra o cotovelo de Eleanor. — Adorei isso — diz ela. — E respondi: "Não há nada que você possa fazer". E foi isso.

Eleanor parece saborear essa informação, anotando furiosamente na sua prancheta, e então conduz a mulher até a saída. Na volta, no corredor, eu a paro.

— O que você está anotando? — pergunto.

— Nada de mais — responde ela, envergonhada.

— Você mantém sua prancheta sempre junto ao peito — observo. — Mas seria mais justo dividir suas informações. O que é tudo isso que você fica escrevendo?

— Pequenas reflexões, acho.

— Como o quê?

Ela pensa por um momento, como se estivesse tentando decidir se me conta ou não.

— Tudo bem — ela cede. — Artie está passando pelos sete estágios do sofrimento.

— Está? Rumo à aceitação de sua morte?

Ela olha para mim com olhos arregalados, como que escandalizada pela minha ingenuidade.

— Para admitir a sua infidelidade! Para reconhecer o bastardo que é!

— Achei que talvez ele estivesse aceitando a própria morte.

— Bem, é possível que isso esteja acontecendo também. Mas não posso mapear isso. O que sei é que ele negou ter traído uma das mulheres e ainda tentou barganhar um perdão. Ele ficou bravo, especialmente com aquela atriz. Mas uma hora ele vai se desesperar e então vai acabar aceitando.

— Nós queremos que ele se assuma?

Eu não quero que o Artie assuma seu lado infiel. Disso eu tenho certeza.

— Não do jeito que ele é — diz ela. — Mas talvez admitir o que fez e tentar se tornar um novo homem.

— E você está mapeando tudo isso? — pergunto, sem acreditar. Como é possível planilhar os mecanismos internos da consciência de Artie?

Ela olha para sua prancheta e depois a aperta contra o peito.

— Sim — admite. — Estou.

Capítulo 21

BISBILHOTAR É UMA HABILIDADE VITAL MUITO SUBVALORIZADA

John Bessom tornou-se presença constante. Ele ainda fica um pouco nervoso na casa, talvez por causa de alguma lembrança de sua infância ou um desejo de agradar o pai, suponho. Ele alisa a camisa como se temesse que ela ficasse amassada, coloca as mãos nos bolsos, mas de um modo que deixa transparecer sua intenção de parecer mais à vontade. Quando se senta, esperando o turno de uma das queridinhas acabar, fica balançando os joelhos em agitação. É comovente; na verdade é emocionante. Depois de todos esses anos, ele ainda está interessado e, apesar de todos os seus argumentos em contrário, ainda existe algo entre Artie e ele, algo inacabado que ele quer e está tentando resolver agora.

John e Artie se fecham no quarto para conversar todas as tardes. Mas a primeira vez que ele apareceu para um desses encontros com Artie, eu estava presa ao telefone com Lindsay. Ela ainda liga para pedir conselhos, mas não mais em pânico. A pequena promoção e o belo aumento de salário lhe deram mais confiança. Ela apresenta algumas ideias ousadas e espontâneas e já não age mais como se estivesse sempre prestes a sair correndo.

Eu conseguia ouvir John no corredor conversando com Eleanor, que manteve sua faceta profissional e providenciou para que tudo corresse com incrível pontualidade. Lindsay estava tagarelando um pouco.

— Você é uma profissional — disse eu, tentando interrompê-la. — Você entendeu o espírito da coisa.

Eu podia ouvir John e Eleanor na escada e precisava sair do telefone. A verdade, terrível, é que tinha que bisbilhotar a conversa deles.

Mas Lindsay continuava inabalável falando sobre as regulamentações da SEC e me fazendo um resumo das informações, como uma profissional.

Fiquei impressionada.

— Isso é ótimo — disse a ela. — Você pode botar tudo isso no papel? Preciso comunicar aos nossos clientes.

Quando finalmente consegui desligar o telefone, passei por uma mulher na sala de estar embrulhando biscoitos num guardanapo e subi na ponta dos pés para o andar de cima. Lá encontrei Eleanor espanando o pó da parte de cima do batente da porta no corredor, do lado oposto ao quarto, e Elspa, que nem se deu ao trabalho de fingir ter um motivo para estar lá, sentada de pernas cruzadas ao lado da porta. Minha mãe tinha saído aquela manhã para conversar com um agente funerário — ela não me incomoda com esses detalhes difíceis. Mas, se não estivesse ocupada, certamente estaria lá também. Eleanor e Elspa olharam para mim, pegas em flagrante. Então balancei a cabeça e susssurrei:

— Tem gente demais aqui. Fica muito óbvio. Vão lá para baixo, eu conto a vocês depois.

Elas obviamente ficaram desapontadas. Elspa se levantou e cruzou o corredor com os ombros caídos. Eleanor me entregou sua prancheta, o lápis preso nela.

— Tome nota — disse ela.

Assim que elas se foram, encostei o ouvido na porta. Eu já tinha perdido um bom pedaço por culpa da Lindsay. Eles estavam falando baixo, com a voz entrecortada por risadas. Levei alguns instantes para começar a entender o que diziam.

— Ela mora no oeste agora — disse John.
— Com um caubói? — perguntou Artie.
— Um caubói rico.
— Então não foi uma infância tão ruim, foi?
— Eu entregava jornais e tinha um cachorro. Às vezes ela tirava a casca do pão dos meus sanduíches e me ensinou a xingar de verdade e a fazer pequenas falsificações.
— Habilidades vitais — comentou Artie.
— Mais ou menos isso, afeto e muito barulho.
— Eu também aprendi a xingar com a minha mãe — disse Artie. — Temos isso em comum.

Houve uma pausa, e então Artie continuou:
— Sempre quis estar ao seu lado. Ela contou a você? Eu queria ser parte da sua vida, mas ela não aceitava.

Fiquei imaginando se John iria contar a ele o que tinha me contado, aquela velha história de que não existia mais nada entre ele e Artie agora. Me soava mais como algo que John dizia a si mesmo para poder sobreviver, um mantra estranho que eu não conseguia entender. Fechei os olhos e prendi a respiração, sabendo que Artie precisava ouvir outra coisa, algum tipo de promessa.

— Mas você *tentou* de verdade? — perguntou John.
— Ela disse que você me detestava, que eu só iria piorar as coisas e deixar você confuso.
— Eu já estava bastante confuso — disse John. — Mas não importa mais agora, de qualquer forma.
— Mas eu estava lá.
— O quê? — perguntou John.
— Eu vi você naquela peça sobre a princesa em um monte de colchões.

— Na oitava série?

— E assisti a vários dos seus jogos. Aquele em que você perdeu uma jogada extra por causa de um erro do interbases. Aquele campeonato.

— Você estava lá?

— E na sua formatura também. Eu fiquei assistindo do canto, na última fileira da arquibancada, no fundo do ginásio. Sua mãe me viu uma vez, acho, mas desviou o olhar e só me permitiu ficar sentado ali.

Mais segredos do Artie, mas esses pareciam adoráveis e inocentes.

— Bem, eu queria que você fosse parte da minha vida — disse John. — Então temos isso em comum também.

Foi uma das coisas mais ternas que já ouvi na vida. Não sabia se era real ou não, mas soava verdadeiro.

Era tudo que eu precisava ouvir e me dei conta de que até então não acreditava que John pudesse ser gentil com Artie, mas vi que sim. Eles estiveram próximos durante todos esses anos, mesmo sem que John soubesse. Ele parecia entender que esse encontro era fundamental para Artie. Agora eu percebia que havia muita coisa em jogo para John também. Talvez ele não acreditasse de fato que não havia nada entre ele e Artie agora. Talvez ele tenha dito a verdade a Artie. De qualquer modo, subitamente me senti culpada. Esse relacionamento era algo entre eles apenas, algo que eles tinham que tecer. Então escapuli dali, dando-lhes privacidade.

Um dos problemas de bisbilhotar é que você não pode apagar o que ouviu. Então, quando percebo, estou querendo perguntar a John coisas de sua infância. Quero saber se ele esteve revoltado com Artie durante todos esses anos; se algo mudou agora que ele tomou conhecimento de que o pai esteve próximo, nos bastidores da sua infância. Quero saber mais sobre a mãe dele e conversar sobre aquele nervosismo em sua voz. Ele foi forçado a reimaginar tudo? Como se sente? Fico me perguntando como seria se eu é que tivesse descoberto algo assim sobre meu pai, que mudanças isso causaria? Sinto um pouco de inveja de John, da oportunidade que ele teve de ver o pai de outra forma. Eu nunca terei essa chance.

Mas não conversamos sobre nada disso enquanto estamos no que John passou a denominar de "a excursão pela vida de Artie". Fazemos passeios de carro por Philly juntos. Agora que Artie contou a John algumas coisas de sua infância, ele quer parar em certos lugares. Passamos pela casa em que Artie cresceu, por algumas de suas escolas e um dia paramos no hotel onde Artie trabalhava como mensageiro. O hotel ainda está intacto, sobrevivendo com um charme do velho mundo, folheado a ouro, as pesadas portas giratórias decoradas, o porteiro com roupas exageradas.

— Era o gostinho de uma vida rica — digo a John. — Ele trabalhava nesse lugar para poder ficar perto dos ricos, sentir um gostinho do estilo de vida deles. Bem, mais que isso. Ele queria aprender os gestos deles, seus sotaques, o modo como eles dobravam as gorjetas para colocá-las na mão dele. Artie precisava economizar o dinheiro para a faculdade, mas acabava gastando em aulas de tênis e golfe. Esportes de ricos.

— E compensou — observa John, com sua mãozona balançando o câmbio do carro.

— É — concordo.

— Foi aqui que ele conheceu minha mãe, você sabia?

É a primeira vez que John faz algum comentário sobre sua vida familiar.

— Não, eu não sabia disso.

— Achei que soubesse.

— Como ela era na época? — pergunto.

— Não sei. Como é hoje, porém mais jovem, talvez menos malandra, mas duvido. Ela estava aprendendo a fingir também —

John coloca o câmbio em ponto morto. — Você gostava disso em Artie?
— Do quê? — pergunto.
— Do fato de ele ser rico.
John olha diretamente para mim. Às vezes, suas sobrancelhas arqueadas dão a impressão de estar magoado.
— Não — digo. — Com toda a sinceridade, eu gostava do fato de ele ter vindo do nada. De certa forma o dinheiro tornava as coisas difíceis.
— De que forma? — pergunta ele.
Não sei direito. Nunca coloquei isso em palavras. Acho que o dinheiro nos separava. Eu não queria que ele pensasse que eu dava importância ao fato de ele ser rico. Eu ganhava muito bem. Então, nesse aspecto, tínhamos caminhos separados, o que permitia uma certa liberdade a Artie também e acabou sendo demais para ele. Acho que se tivéssemos contas conjuntas, eu teria notado os gastos com as queridinhas. Os quartos de hotéis. Os jantares em restaurantes aos quais eu nunca tinha ido. Mas tudo isso está se desviando do principal, não está nos levando ao âmago da questão.
— Acho que foi aqui que ele aprendeu a fingir ser rico. Aprendeu a arte de fingir.
Sinto meus olhos se encherem de lágrimas, então olho para fora pela janela. Quero dizer a John que essa podia ser a origem da traição de Artie. Se ele não tivesse aprendido a fingir ser rico, será que teria conseguido fingir nosso casamento, fingir nossos votos tão bem?
— Oh — diz John.
E percebo que ele está começando a entender que existe muita coisa ainda a ser resolvida no meu relacionamento com Artie.
— Você sabe do que precisamos?
— Do quê? — pergunto, enxugando as lágrimas dos olhos.
— De um sanduíche de carne com queijo. É uma invenção antiga e tem grandes poderes. Os incas o empregavam como for-

ma de anestesia para mulheres em trabalho de parto. Buda o usava como um foco para meditação. E era o que os egípcios comiam quando estavam projetando as pirâmides. O que você acha?
— Duas quadras à esquerda. Há um lugar incrível. E podemos pedir maionese extra.
— Então é um lugar sagrado — diz ele, colocando o carro em movimento.
— Um santuário à gordura, na verdade.
— Completo e com um santo padroeiro da maionese extra?
— Claro — concordo, notando que, quando ele diz algo engraçado, balança o joelho como um escolar inquieto.
— Santo Al? — pergunta ele.
— Você frequentou alguma escola católica ou algo assim?
— Era um lugar ótimo para conhecer garotas católicas.
Por um breve momento, enquanto ele gira o volante, uma mão sobre a outra, deixo me levar pela fantasia de ser uma dessas garotas católicas — real ou não. Imagino como seria beijá-lo num banco de carro apertado ou no meio da ventania de um jogo de futebol da escola. Tento criar na minha cabeca uma imagem de como ele seria então. Será que ele era alto demais, magro demais, só braços e pernas? Será que tinha um cabelo perfeito? Vestia uma jaqueta jeans? Sei que isso é errado, que eu não devia me permitir essas fantasias. Que tipo de mulher pensa assim sobre o filho perdido do próprio marido? O que Freud diria?
John para o carro na frente da lanchonete.
— A terra santa — diz ele. — Precisamos nos confessar antes?
E o que eu confessaria? Prefiro nem pensar muito nisso.
— Vamos pular a parte da confissão, assumir a culpa e rezar três aves-marias depois — proponho.

Capítulo 22

DEVEMOS SENTIR PENA DA GERAÇÃO DE HOMENS CONFUSOS?

Todo dia, passo parte da tarde com Elspa tentando bolar um plano para recuperar Rose. Aprendi a ver Elspa como uma pessoa articulada, cheia de percepções sábias que me pegam desprevenida. Mas, quando o assunto são seus pais, ela se fecha. Hesita, enrola, é vaga, fala clichês sobre um amor difícil.

Ela senta na cama do quarto de hóspedes, brincando com o zíper do seu agasalho ou a espiral do caderno, enquanto eu ando de lá para cá, fazendo perguntas do modo mais gentil que posso, mas não chego a lugar algum.

Sei que os pais dela vivem em Baltimore. Ela os descreve em termos duros — a mãe era "rude e distante", o pai "ausente a maior parte do tempo". Ela também me descreveu brevemente os lugares onde consumia *crack* e seus contatos com o mundo das drogas. Elspa já escreveu bastante coisa em seu diário, mas não quer que eu leia.

— Eu sou péssima escritora. É tudo muito tosco. Eu ia ficar com vergonha.

Mas ela também se recusa a parafrasear.

E assim transcorre essa última tarde que passamos juntas, eu servindo de assistente social/terapeuta:

— Você me disse que nunca assinou nada. Qual é o acordo de custódia?

— É tudo informal. Nunca houve nenhum advogado envolvido. Advogados apenas fariam meus pais se sentirem pouco à vontade.

— Isso é bom — digo a ela. — Sem advogados; isso é bom — então faço uma pausa. — Mas também ajudaria se eu os conhecesse um pouco melhor antes de pedirmos sua filha de volta.

Ela balança a cabeça concordando, mas não diz nada.

— Você não tem nenhuma lembrança específica? Nada? Qual é o seu problema?

Perco a paciência. Fui assaltada por tantas memórias nos passeios desses dias, que não consigo imaginar como ela pode não encontrar uma só que seja, uma única, para me oferecer. Até agora sempre achei que eu fosse boa em arrancar coisas das pessoas, mas Elspa se recusa a ser investigada.

Ela fica em silêncio olhando pela janela por alguns minutos e, quando se volta para mim, está chorando. Eu sei que ela tem lembranças, claro. Ela está sendo sufocada por elas, está afundando nelas. Sento-me ao seu lado.

— Vamos de uma vez — digo. — Você pode telefonar para eles e dizer que você quer fazer uma visita. Talvez o trajeto de carro até lá faça você me ajudar a ajudá-la. Vai ser uma daquelas longas viagens de carro. Você pode ligar para eles?

Ela assente.

— E vamos ter que fazer o nosso melhor — digo.

Ela balança a cabeça, concordando.

— Tudo bem. Temos um plano. Não é um grande plano, mas pelo menos já é alguma coisa.

Me levanto e atravesso o quarto. Já estou com a mão na maçaneta quando ela me para.

— Espere — pede ela.

— O que é?

— Tudo bem se fizermos isso logo? Quero dizer, o quanto antes. Não consigo ficar me segurando. É demais. E se não funcionar? Eu preciso saber...

— Tudo bem — respondo. — Ok. Ligue para os seus pais. Veja quando podemos ir lá.

Ela suspira, enxuga os olhos com os dedos e o nariz com as costas da mão.

— Vou ligar. Acho que estou pronta — e olha para mim. — Estou pronta.

Saio do quarto e vou para a cozinha escura. Não acendo a luz. "Estou pronta?", pergunto a mim mesma. "Estou pronta para tudo isso?" Sinto que estou me afundando. Preciso de algo doce e reconfortante. Abro a geladeira procurando alguma coisa. Será que vou conseguir ajudar Elspa a recuperar a filha? Quem é Elspa? E por que estive levando o filho do meu marido para um passeio pela vida do pai? Porque eu quero que o conheça antes que Artie morra? Ou estou fazendo isso por mim mesma agora? Mas agora mesmo eu não estava fantasiando sobre ele vestido de jaqueta jeans num jogo de futebol da escola?

Na geladeira encontro apenas alguns iogurtes *light*. Não vão resolver. Abro o congelador e parto para a artilharia pesada — sorvete Häagen-Dazs de chocolate triplo. Coloco dois potes na mesa.

Quando me viro, lá está minha mãe, sentada na penumbra com uma tigela de sorvete diante de si.

— Você também? — pergunta ela. Sua maquiagem derreteu um pouco, o que a faz parecer mais velha.

— É. Nada está fácil no momento.

— É assim às vezes — diz ela, delicadamente tomando seu sorvete.

Ela sempre comeu bonitinho, sem encher a colher, sempre fechando os lábios.

— A vida vem em ondas. Como está Elspa?

— Ela está pronta, acho — digo vagamente.

Começo a servir o sorvete, algumas colheradas de cada.
— Você que me ensinou isso?
— Eu lhe ensinei tudo.
— Porém algumas coisas eu optei por não aprender.
— Verdade? Você acha?
— Eu não acho, eu sei — digo a ela.
— Nós não somos muito diferentes.
Sento de frente para ela e suspiro.
— Não vamos entrar nessa discussão agora.
— Bem — diz ela, — há uma diferença marcante.
— Qual?
— Você é mais generosa que eu.
— Eu não acho. Quero dizer, você já teria perdoado Artie, o que é uma forma de generosidade que eu não me permitiria ter.
— Sim, mas o segredo é que eu teria perdoado Artie porque seria mais fácil.
— Mais fácil? Você está louca?
— Mais fácil a longo prazo — diz ela. — Um jeito de ceder a tudo. Além disso, eu levo uma grande vantagem sobre você. Nasci numa época em que esperávamos que os homens fossem fracos, que fossem infiéis, e nós tínhamos que perdoá-los. De alguma forma, tivemos essa sorte.
— Isso não me parece muita sorte.
— Vocês, mulheres de hoje em dia — diz minha mãe — têm expectativas altas demais. Vocês querem um parceiro, um igual. Minha geração sabia que os homens nunca poderiam ser iguais a nós. Nos assuntos que mais importam, nós somos mais fortes. Vá a qualquer asilo de velhos e o que você encontrará lá? Mulheres. Quase sempre mulheres. E por quê?
— Bem, por causa da guerra, para começar.
— Tudo bem, nesse caso você tem razão. Mas, francamente, porque as mulheres sabem sobreviver. É o que fazemos. Temos mais força interior, e, durante todos esses anos, os homens

pensavam ser superiores, mas isso nunca foi verdade. Nós os deixamos acreditar nisso, porque eles são fracos. E então aconteceu o movimento de liberação da mulher, e, não me entenda mal, eu sou a favor da liberação feminina, mas as próprias mulheres estragaram tudo.

— Era um jogo ruim — digo a ela.

— Tinha seu lado ruim, eu sei. E, Artie, bem, ele é de uma geração entre as nossas. Aquela geração de homens confusos para os quais nada do que aprenderam na infância ainda se aplica. De repente, eles foram obrigados a adquirir habilidades que nunca praticaram. Disposição para ouvir. Intuição. Ternura. Paciência com as compras, interesse em decoração. É triste vê-los enrolados nisso, não é?

— Eu não sinto pena deles.

— O que estou dizendo é simples. Não esperávamos muito dos homens, então era mais fácil perdoá-los quando falhavam conosco.

— Mas, na verdade, eles nem sempre merecem ser perdoados. Não o meu pai.

— Seu pai — diz ela, balançando a colher no ar como que para marcar uma afirmativa crucial. — Ele era quem ele era. Quem não o perdoaria por isso?

— Eu — afirmo. — Ainda o culpo por nos abandonar.

Ela faz uma pausa e se inclina para mim.

— Certifique-se — diz ela — de que você está culpando o homem certo pelo crime certo.

— O que você quer dizer?

— Você sabe o que eu quero dizer.

— Não, eu não sei.

— A culpa é intransferível. Você não pode fazer um homem pagar pelos crimes acumulados por outros — responde ela, raspando o restinho do sorvete de chocolate da tigela. — Ouvi dizer que eles fazem isso na China, mas estamos nos Estados Unidos.

— Na China?

— Sim, na China — ela pega a tigela e vai até a pia. — Na China, um filho herda os crimes do pai. Verdade! Mais um motivo por que eu gosto de ser americana. Todo mundo tem oportunidades iguais — diz ela, lavando a tigela. — Você deveria aprender algumas lições com a minha geração. E tente não confundir os pais com os filhos — ela para na porta. — Estou indo para casa dormir.

E bate palmas; de um dos cantos da cozinha Bogie corre, derrapando, em sua direção. Levantando-o, ela aponta para o interruptor.

— Você quer que acenda a luz?

Estou parada na frase "tente não confundir os pais com os filhos". Será que ela está tentando me dizer algo? Esta é outra característica das mulheres de sua geração — elas dizem coisas sem dizê-las. Falam nas entrelinhas. Há uma linguagem oculta em sua linguagem. Será que ela fica imaginando como são minhas tardes com John Bessom? Será que ela suspeita de algo? Minha mãe sempre suspeitou de homens e mulheres sozinhos. Talvez isso também seja uma característica de sua geração.

— Não — respondo a ela. — Deixe apagada. Não me importo de ficar um pouco no escuro.

— Está vendo? Eu também não. Somos *tão* parecidas!

Capítulo 23

SE EXISTE UMA GERAÇÃO DE HOMENS CONFUSOS, HAVERÁ TAMBÉM UMA GERAÇÃO DE MULHERES CONFUSAS? VOCÊ É PARTE DELA?

Alguns dias mais tarde, levo John ao lugar onde Artie me pediu em casamento, no rio Schuylkill. É a progressão natural da excursão pela vida de Artie, mas me sinto pouco à vontade. Ainda tenho na cabeça o comentário de minha mãe — "tente não confundir os pais com os filhos" —, mas me sinto ainda mais intrigada por sua observação de que os crimes são intransferíveis. O que ela quis dizer com isso? Eu poderia lhe perguntar, claro, mas não estou disposta a ouvir mais um de seus sermões e não tenho tanta certeza de que ela agiria como tradutora de si mesma.

John e eu ficamos observando as canoas indo e vindo, o movimento rítmico dos remos. Venta e faz calor. Há uma brisa ligeira que vem da água.

Eu deveria contar a ele a história do pedido de casamento, mas sinto-me travada e tenho medo de que meu silêncio esteja se tornando um pouco dramático demais.

— Não sei por onde começar — confesso.
— Que época do ano era? — pergunta ele.

— Inverno — respondo. — As margens do rio estavam cobertas de gelo.
Ele percebe que não estou à vontade e diz:
— Não precisamos fazer isso agora.
— Quem você acha que representa o sexo forte, emocionalmente, os homens ou as mulheres?
— As mulheres — responde ele, sem hesitar.
— Você está dizendo isso só porque se sente obrigado?
— Não — diz ele, olhando nos meus olhos.
Fico pensando como era fácil para a geração da minha mãe considerar os homens mais fortes que as mulheres.
— Você está sendo condescendente?
— Essas perguntas são uma pegadinha? — questiona ele, apertando os olhos. — O que eu devo responder?
— Você faz parte da "geração de homens confusos"? — pergunto, fazendo um gesto nervoso com a mão.
— E, por acaso, todas as gerações de homens não são confusas? Não é essa a nossa marca registrada? — argumenta ele, inclinando a cabeça para o lado. Ele está vencendo essa discussão, pretensamente abrindo mão de sua defesa.
— Você está fazendo aquilo de novo — digo a ele.
— Aquilo o quê? — ele quer saber.
— Você está me dizendo o que você acha que eu quero ouvir, ou pior, o que você acha que eu *preciso* ouvir.
Ele faz uma pausa como se procurasse seus motivos.
— Eu realmente não sabia que existia algo como a geração de homens confusos. Onde saiu isso, na revista do New York Times ou algo assim?
— Foi minha mãe que inventou.
— Ah, tá. Tudo bem então — ele pigarreia. — É provável que eu faça parte da geração de homens confusos —afirma com sinceridade. — Me sinto desorientado a maior parte do tempo e acho que as mulheres não ajudam muito a esclarecer as coisas. Essa resposta é direta o bastante?

Assinto com a cabeça.

— Não foi uma pergunta justa.

— Mas sua mãe deveria escrever um artigo para a revista do *New York Times*. Ela criou uma frase de efeito. E isso é tudo do que se precisa hoje em dia.

— Vou dizer a ela — afasto-me do rio e olho para John. — É aqui. Este é um dos pontos na excursão pela vida de Artie. Faça outra pergunta.

— Que não seja a respeito de quem é mais forte, os homens ou as mulheres? Ou qualquer outra pergunta sem resposta sobre a guerra dos sexos?

— Não, nenhuma dessas.

— Ok — diz ele e coloca as mãos nos bolsos, olhando para os pés e depois de volta para mim. — O pedido de Artie foi ensaiado ou espontâneo?

Eu sei que isso tudo deveria ser muito emocionante para mim, no que diz respeito a Artie e ao nosso passado. E é, mas não do jeito que eu esperava. De alguma forma, contar a John tudo sobre Artie é um alívio, algo em que me apoiar. Por um lado, parece importante para John também. Ele absorve tudo, ouvindo todos os detalhes da vida de seu pai. Ele me observa com atenção, e sinto que está começando a conhecer o pai. Percebo que algo do que digo está se enraizando em seu coração. E, por outro lado, me sinto ainda como se estivesse passando a bola para alguém, mas não como se transferisse um fardo de memórias, embora depois de cada visita eu me sinta mais leve. É mais como ter alguém com quem dividir isso tudo.

— Na hora pareceu espontâneo, mas Artie sempre ensaiava as coisas importantes. Ele aprendeu, com a infância triste, a ter uma certa sutileza. Algumas vezes eu conseguia ver através da fachada. Outras não.

— Quando a hora chegar — fala John — eu não quero declarar meu amor eterno por alguém de maneira calculada. Quero ser arrebatado, compelido — ele olha para o rio Schuylkill, o vento balançando sua camisa.

— Você tem razão. Sem disfarces é melhor. Apenas a verdade. O verniz de Artie de fato lhe trouxe problemas. Ele sabia como simular uma situação e o fazia sempre, e esses momentos se somaram a uma vida de pequenos crimes.

John olha para mim, confuso.

— Pequenos crimes contra o coração — dou de ombros. — Não sei, talvez no final eles tenham mesmo se acumulado transformando-se num crime mais grave.

— O que você quer dizer? — pergunta John, mas eu finjo não ter escutado e volto para o carro.

Vamos para a lanchonete favorita de Artie, o Manilla's, um lugar em ruínas em St. David. Ocupamos uma mesa de canto.

— Artie gostava deste lugar. É onde ele vinha pensar — digo a John.

A princípio ele fica confuso.

— Ele tinha todo aquele dinheiro e vinha aqui para pensar?

— Este é o tipo de lugar onde ele se sentia à vontade — explico.

Pedimos tudo o que se come em uma lanchonete como essa — coisas gordurosas, açucaradas, cremosas. Nossos dedos e lábios brilham.

Mergulhando as batatas fritas num *milkshake* de chocolate, peço a ele:

— Me conte algo sobre sua vida.

— Fui criado como todo garoto, nos escoteiros, perdendo campeonatos infantis, levando calote na gorjeta quando entregava jornal. Nenhum modelo de comportamento ideal; todo o conhecimento sobre mulheres, amor e sexo adquirido de fontes erradas. Minha vida seguiu o padrão.

Percebo agora como ele tem sido reservado sobre sua vida — passada e presente. Houve certos momentos em que sua história deveria ter aflorado naturalmente, mas, pensando nisso agora, vejo que isso nunca aconteceu. Em vez de me falar sobre si mesmo, ele quer saber a respeito do Artie, de mim e da nossa vida juntos.

Tento novamente. Quem sabe ele esteja apenas sendo modesto.

— Me conte uma história da sua infância.
— Como o quê?
— Alguma coisa — digo. — Qualquer coisa.

Ele pensa por um momento.

— Uma história da minha infância. Qualquer coisa. Ok. Tem esta aqui sobre um homem chamado Jed.

E ele declama a letra da música-tema de *The Beverly Hillbillies*[1]. Lembro-me imediatamente da vovó de Jed, Jethro, Elly May e daquele pobre banqueiro irritado e sua secretária exigente, e fico imaginando a história que John não está me contando.

— Eu sei qual é — digo e começo a cantarolar a parte da abertura na qual eles passam com seu velho caminhão cheio de lixo sob as palmeiras.

— Então você já conhece essa história? — pergunta ele, fingindo surpresa.

— Me soa vagamente familiar. Você alguma vez fez um passeio de três horas num barquinho chamado Minnow[2]?

— Sim, fiz, e você precisa saber que eu não me apaixonei pela Ginger. O tempo todo, quem eu queria mesmo era a Mary Ann.

---

1 N.T.: Série de TV norte-americana produzida entre 1962 e 1971.
2 N.T.: Referência à série de TV norte-americana *"Gilligan's Island"*, produzida entre 1964 e 1967 e exibida no Brasil com o título de *"A Ilha dos Birutas"*. Ginger, Marianne e Skipper eram alguns dos personagens.

— Acho que é possível separar os homens em duas categorias, aqueles que se apaixonam pela Ginger e os que caem de amor pela Mary Ann.

— E aqueles que gostam do Skipper — acrescenta ele. — Ele é uma figura bem especial.

— Verdade — concordo. — Bem observado.

Fico desapontada pelo fato de John não abrir o jogo, mas digo a mim mesma que o importante é que ele vai continuar no jogo. Ele está aqui para aprender sobre a vida do pai. Por que eu deveria esperar que ele revelasse algo sobre si mesmo? Não faz parte do acordo. Então não pressiono.

E, na verdade, como eu poderia culpá-lo? Ainda me vejo passando por cima dos detalhes mais íntimos, como aquele primeiro beijo no coração. Não sei por quê. Será que parece traição revelar demais? Ou pior, talvez eu me preocupe em não mostrar ao John como sou boba, como ainda sinto carinho pelo Artie. E por quê? Por não me sentir preparada para mostrar essa ternura, ou por estar com medo de não conseguir controlar meus sentimentos outra vez? Ou talvez por não querer que John saiba o quanto ainda amo Artie e conheça um dos meus maiores temores, que é nunca conseguir esquecê-lo? Eu sei que não há problema em achar John bonitão, até charmoso. Ele é, e isso é fato. Mas será que não estou flertando com ele (talvez de alguma forma instintiva, fora do meu controle) quando deixo de revelar como meu amor por Artie é profundo, flerte por omissão?

E também tenho consciência de que não contei a ele toda a verdade sobre Artie. Agora ele já sabe sobre a infidelidade do pai — presenciou a procissão das queridinhas —, mas não conhece a minha história. Esse é também um pecado de omissão.

Decido jogar limpo e deixo escapar:

— Artie me traiu, e eu o deixei. E eu ainda estava viajando quando descobri que ele estava doente. Fiquei fora seis meses.

John não hesita.

— Notei que você parece estar instalada no quarto de hóspedes — diz ele. — Imaginei que tivesse acontecido algo.

— Isso torna as coisas complicadas — comento.

Ele para, põe os cotovelos sobre a mesa e se inclina para a frente, aproximando-se mais do que eu esperava.

— Seres humanos são complicados — diz ele em voz baixa, como se confessasse as próprias falhas.

Rugas delicadas se esboçam no canto de seus olhos, e ele me parece maior assim de perto, mais musculoso. E de novo eu fico fantasiando um tempo antes das coisas se tornarem tão complicadas. Eu o imagino de jaqueta jeans, apenas um colegial, e me transporto para essa época também. E se nossos caminhos tivessem se cruzado? E se tivéssemos nos conhecido naquela ocasião? O que acharíamos um do outro? Recosto-me em meu assento, ficando mais longe dele. Estou frustrada, frustrada por pensar nele dessa forma outra vez, como se tivesse cedido a alguma fraqueza.

— Eu acho que você devia saber disso sobre o Artie — digo.

— Você ainda não se amarrou. Você tem quantos anos, trinta? Com certeza, a essa altura já podia ter encontrado alguém e se comprometido. Quero dizer, deve ter havido mulheres... — gaguejo um pouco. Falo de forma mais dura do que eu gostaria, mas não me detenho. — Quero dizer, você me parece um sedutor, um pouco como Artie, e se...

— E se o quê? Se a fruta não cai longe do pé? Onde você quer chegar? Talvez eu ainda não tenha encontrado a pessoa certa. Exatamente em que categoria da excursão pela vida de Artie isso se encaixa?

Ele fica claramente aborrecido.

— Eu só queria que você soubesse dos defeitos dele.

— Para que eu não os repita.

Faço que sim com a cabeça.

— Porque eu *pareço ser um sedutor*...

Não quero concordar, mas acabei de dizer exatamente essas palavras, então, relutante, assinto com a cabeça novamente. Na verdade, vejo John como alguém que daria um jeitinho nas notas fiscais ou obteria fundos por meio de cheques voadores, como dizem os auditores — ele não é um ladrão descarado; não creio que tivesse disposição para isso. Mas, de qualquer forma, é capaz de cometer fraudes — do tipo plenamente justificável por motivos racionais.

— Não tenho nada a ver com Artie Shoreman — diz ele. — Isto é, não acho que você me conheça o suficiente para tirar esse tipo de conclusão.

Eu o insultei. Tenho certeza. Sentamos em silêncio por alguns minutos. Ele dá mais algumas mordidas num sanduíche de bacon, tomate e alface e depois o deixa de lado.

— Você quer conversar sobre o que está acontecendo agora? Com Artie?

— O quê?

— Até agora nos mantivemos no passado. Fomos fiéis à excursão pela vida de Artie. Mas o que eu quero dizer é que as coisas estão difíceis para você agora. Se quiser conversar sobre isso, tudo bem. Podemos desviar do roteiro oficial. Você pode tirar o crachá de guia. Sabe como é... deixar os monumentos um pouco de lado.

— Eu não uso crachá — contesto, desviando o assunto.

— Tudo bem — diz ele. — Tudo bem. Podemos continuar com o plano original.

Ele olha ao redor da lanchonete e depois suspira e me encara. Fica me olhando como se estivesse tentando memorizar meu rosto, aqui, nesta lanchonete, neste momento. Não tenho ideia de como estou. Confusa, eu acho. Há uma geração de mulheres confusas também? Eu faço parte dela?

— Já sei por que Artie gostava deste lugar — fala ele limpando algo em meu rosto com um guardanapo, *catchup? Milkshake?*

Há quanto tempo está lá? — Esta lanchonete é arte pura. Só ela não sabe disso.

— Esse é o melhor tipo de arte — acrescento.

E ele concorda.

Capítulo 24

TODOS OS HOMENS SÃO CANALHAS?

Tornou-se um hábito sentar-me na poltrona ao lado da cama de Artie e observá-lo dormir durante toda a noite. E esta noite é a mesma coisa. Mais uma vez subo a escada da casa silenciosa. Eu gostaria de poder vir aqui durante o dia, como qualquer outra das queridinhas bem-vestidas, para elogiá-lo ou gritar com ele. Mas sinto medo da minha própria raiva tanto quanto dos meus súbitos acessos de amor por Artie (e dos repentinos acessos de fraqueza que tenho por John). Isso tudo me faz sentir totalmente fora de controle. Mas, quando Artie está dormindo, posso sentir o que quiser. Posso me deixar invadir. Não preciso *decidir* o que sentir ou que tipo de gentileza ou raiva Artie merece em cada momento. Eu não tenho que *decidir* nada.

Mas esta noite, depois de meu dia com John Bessom, depois de perceber que pertenço à geração de mulheres confusas, fico de pé ao lado da cama em que Artie está deitado, e ele me parece completamente diferente. Agora há dois tubos de oxigênio pendurados em suas orelhas como uma máscara de Papai Noel e duas sondas de alimentação encaixadas sob seu nariz. Os tubos se conectam a um tanque de oxigênio sobre rodas que zumbe no canto. Sua cabeça está virada para a porta, mas parece acinzentada, frouxa. Quero salvá-lo desse novo acontecimento, o enfraquecimento do corpo. Eu tropeço e me seguro na lateral da cama.

Ele acorda, se vira e me acha ali no escuro, tão rapidamente que fico imaginando se ele sabia, mesmo dormindo, que eu estava lá.

— Você está aqui — diz ele.

E então escuto uma voz atrás de mim.

— Oh, Lucy, você chegou! — é Elspa, que está sentada na poltrona.

— O que aconteceu?

— Foi horrível — conta ela parecendo esgotada.

Ela se levanta e segura meu braço com uma mão trêmula.

— Não foi horrível — contesta Artie. — Foi tudo bem.

— Sua mãe deixou mensagens no seu celular e um recado na porta — diz Elspa. — Você viu o bilhete?

Balanço a cabeça negativamente.

— O que aconteceu? O que deu errado?

Quero acrescentar: "Enquanto eu estava fora, enquanto deixei você sozinho".

— Isso estava para acontecer há tempos — anuncia Artie.

— Sem surpresas. Tudo parte do processo.

— O processo — repito em voz baixa.

A verdade é que, no final, Artie vai morrer de insuficiência cardíaca congestiva. Ele tem uma infecção aguda no coração causada pelo vírus *Coxsackie*. Odeio esses detalhes e tentei evitar esse tipo de linguagem médica insensível, mas sei que seu coração está comprometido. Ele não se contrai mais como deveria, e então o líquido se acumula e vai acabar inundando seu peito, seus pulmões, impedindo-o de respirar, apesar do oxigênio. Ele está tomando morfina para a dor no peito, mas é um caso perdido. Vai fazê-lo sentir menos dor, mas também vai enfraquecê-lo. Ou ele vai morrer de derrame durante a noite, ou afogado dentro do próprio corpo. Essa é a verdade que não consigo encarar.

— É a mesma coisa que ser o Michael Jackson com sua obsessão por ar puro, mas sem o talento e as outras perversões — diz Artie.
— Não tem graça — censuro. — Nada disso é engraçado.
— Ou como um bar de oxigênio — ele sorri e acrescenta: — Vamos fingir que estamos num bar.
Balanço a cabeça e olho para Elspa.
— Um bar!
— Vou deixar que vocês fiquem um tempo juntos.
— Ele está estável agora? Está tudo bem?
— Agora está — responde ela. — O enfermeiro está lá embaixo com um bip ligado.
Ela aponta para um aparelho com um botão vermelho preso ao travesseiro.
— Obrigada, Elspa — digo.
Ela sorri e sai do quarto.
— Por que você não vem me visitar durante o dia? — pergunta Artie. — Nós devíamos conversar mais.
Sento na cadeira, tentando parecer menos assustada.
— Você é um homem ocupado. A sala de espera está sempre cheia de visitantes.
— Foi você quem quis assim — diz ele. — Você está tentando me evitar? —
Seu tom é totalmente Artie. Não há fraqueza real em sua voz.
Tento fazer meu papel também.
— Acho que sim — respondo.
Pausa.
— Ouvi dizer que você vai ajudar Elspa a conseguir Rose de volta. É muito legal o que você está fazendo por ela.
— Ela lhe contou?
— Ela me visita, quando estou *acordado*.
Não digo nada.
— Ela é frágil — acrescenta ele. — Espero que dê certo.

— Elspa é mais durona do que você imagina.

O quarto está quieto, mas me parece invadido pela assombração das queridinhas que passaram por aqui durante o dia.

— O que elas dizem para você quando vêm aqui? — pergunto, puxando os joelhos para junto do peito.

— É estranho — comenta ele.

— Como?

— Há alguma coisa que vai e volta. Pode aparecer com trajes diversos, mas é sempre a mesma coisa — ele pensa por um momento. — Como é que se diz? Variações sobre o mesmo tema?

— Qual é o tema?

— Bem... Se elas não me odeiam completamente, o tema é que eu tentei salvá-las, curá-las ou algo assim. Um pouco de mágoa. E, apesar de tê-las traído, eu as ajudei. A vida delas ficou melhor depois que me conheceram, mesmo que, por um certo tempo durante o processo, eu tenha causado algum prejuízo.

— E quando elas odeiam você?

— Bem, daí elas dizem que eu tentei consertá-las ou mudá-las e que também fiz promessas de melhorar a vida delas. Essas promessas conseguiam fazê-las sentir-se seguras, por exemplo. E, quando eu as decepcionava ou as traía, o problema ficava pior ou elas acabavam tendo dois problemas em vez de um só. É sempre complicado.

— De que forma você tornava o problema pior?

— Você sabe.

— Pior como? Não sei.

— Bem, eu não ajudei ninguém a deixar de acreditar que os homens não são confiáveis. Havia uma versão alternativa desse tema: todos os homens são uns canalhas. Se você gravasse o coro das mulheres se queixando, teria um refrão para tocar.

Levanto sem perceber.

— E foi isso que você pensou quando se casou comigo? Que havia algo de errado em mim? Que eu poderia ser um projeto para você, um projeto que durasse a vida toda? Que você seria capaz de me salvar?

O quarto fica completamente em silêncio, exceto pelo tanque de oxigênio. Não me movo, nem ele. Mal consigo ver seu rosto na penumbra.

— Não — diz ele, a voz desafinando como se estivesse gritando, mas ele mal sussurra. — Achei que talvez fosse você quem me salvaria.

Não sei o que pensar. Parte meu coração, mas também o endurece. Nunca me ofereci para salvar Artie Shoreman de si mesmo. Ele nunca me disse que precisava ser salvo. Parece injusto me jogar isso na cara agora, depois de já ter acontecido.

— Como eu poderia salvá-lo se você zombava do nosso casamento? Será que você não me deu um bom motivo para realmente acreditar que todos os homens são uns canalhas?

— Dei. Eu sei. Desculpe. Eu só quero...

Ergo uma mão.

— Pare — peço. — Não faça isso.

Afundo na cadeira, cubro o rosto com as mãos e espero um momento para recuperar o controle.

— Quando vocês irão buscar a filha de Elspa? Logo, pelo que ouvi.

— Não posso ir agora — me endireito.

— Você precisa.

— Não preciso não. Eu não estava aqui quando você precisou de mim. Eu tenho que ficar aqui.

— Eu conheço você melhor do que você pensa — sussurra ele.

— O que você quer dizer com isso?

— Eu sei como seu cérebro funciona. Você sempre quer tirar algo bom de uma situação ruim. Você quer fazer algo duradouro. Eis por que você quer ajudar Elspa. Estou certo? — ele se detém por um instante. — Não precisa me dizer. Eu sei que estou certo. É aquela coisa dentro de você que trouxe meu filho aqui — ele sorri. — Eu estou certo. Sei que estou.

— Elspa esperou tanto tempo. Ela pode esperar mais um pouco — digo a ele, recusando-me a lhe dar crédito por conseguir interpretar tão bem meus sentimentos. Fico imaginando o que ele sabe sobre mim. Saberá de coisas que eu não sei?

Mas então sua voz fica dura.

— Não — diz ele, como se tivesse medo de alguma coisa. — Não.

— O quê? Não o quê?

Ele inclina o rosto em minha direção.

— Significa muito para ela e também para você. O seu jeito é o certo. Tirar coisas boas das ruins. Transformar o que está terminando em algo que dure.

— Ok — concordo.

Ele parece prestes a chorar.

— Prometa — pede ele.

— Eu prometo.

— Vá tentar dormir de verdade — diz.

— Eu acho que não deveria...

— Eu sou um homem em seu leito de morte. O que eu digo tem que ter algum peso. Vá. Durma. Você está exausta.

Eu estou exausta. Levanto-me sem equilíbrio e caminho até a porta.

— Da próxima vez que você vier à noite, me acorde — pede ele. — Assim que entrar, por favor.

— Tentarei.

— Obrigado por trazer meu filho — ele agradece. — Nunca vou poder retribuí-la por isso.

E, novamente, o jogo vira. Artie está em dívida comigo? Artie *está* em dívida comigo. Não consigo dizer "De nada". Tenho medo de começar a chorar e depois não conseguir parar. Saio rapidamente do quarto, atravesso o corredor, desço a escada. Paro por um momento no vestíbulo, mas subitamente não parece ser o meu vestíbulo. Não parece minha casa. Pego as chaves do carro e saio pela porta da frente. Ao sair, vejo o bilhete que minha mãe escreveu pregado na porta. Não o leio. Nem o pego. Caminho rapidamente até o carro. A noite está fresca. Quando tiro o carro da garagem, estou chorando, e eu estava certa, não consigo parar.

Capítulo 25

A CAPACIDADE DE FINGIR É UMA HABILIDADE VITAL

Estou na frente da Butique Bom Sono Bessom e consigo ver John através das vitrines de vidro — o ângulo saliente de seus ombros enquanto ele dorme em uma das camas expostas. Bato na porta, vejo-o se mover, sentar, coçar a cabeça. Quando ele me avista do outro lado da porta, recua por um momento. Eu o assustei. Mas então ele percebe que sou eu, levanta rapidamente e corre para destrancar e abrir a porta.

— Você me assustou. Achei que fosse um ladrão educado — graceja ele, mas logo vê meu rosto vermelho e molhado de lágrimas. — O que foi? — pergunta. — O que aconteceu?

— Entendemos tudo errado — falo, com a respiração entrecortada. — Ele está morrendo. Ele está morrendo *agora*.

John abre os braços e me envolve — mantenho meus braços fechados em meu peito. Ele não diz nada, e sinto nele o cheiro de lençóis novos e sono. Ele me leva para dentro da loja e me faz sentar em um mostruário de beliche com motivos de beisebol.

— Eu posso lhe contar sobre o passado o quanto você quiser, mas não importa — digo. — Não importa porque ele está morrendo agora e, quando ele se for, todas as coisas terão ido embora. Eu não quero que tudo desapareça.

Ele ainda me abraça e me embala um pouco, apenas um leve balanço.

— Me conte do mesmo jeito — pede ele. — Me fale sobre o passado.

Olho para ele.

— Mas não faz diferença.

— E se fizer?

Respiro fundo e solto o ar para cima.

— Me conte mais alguma coisa.

Penso por um momento. Vejo Artie no altar, vestido com seu fraque e sorrindo para mim.

— Nosso casamento — falo.

— Isso mesmo — concorda John. — Você nunca me contou nada sobre o seu casamento.

—Artie começou a chorar primeiro, e isso me fez chorar também, mas, de repente, estávamos os dois rindo e chorando — inspiro de novo. — E foi se tornando contagioso até que a igreja toda ria e chorava. Foi estranho — digo. — Rir e chorar ao mesmo tempo.

— Parece a vida real. Engraçada e trágica ao mesmo tempo — observa John. — A verdadeira tristeza tem que ter também alguma alegria. Não é? Alguém famoso disse algo assim certa vez; a ideia de que não pode haver um final triste sem que o caminho tenha sido verdadeiramente feliz.

Ele me pegou desprevenida. Observo-o. Tem um perfil musculoso, mas olhos suaves, cílios espessos.

— Vai dar tudo certo, Lucy.

Ele me abraça forte, e é tão bom ser abraçada com esse tipo de força gentil. Percebo há quanto tempo não sinto um braço masculino em volta de mim dessa forma. Ele me beija a testa, e então seu rosto está ali, bem perto do meu ainda molhado de lágrimas. E eu não sei como ou por que, mas me inclino e beijo suavemente sua boca. Não é um beijo longo. Não é quente nem arrebatado.

Mas ele tem uma boca maravilhosa e não se afasta. E, embora esse beijo tenha sido quase um selinho, do tipo que você dá na anfitriã de uma festa, ele dura o bastante para se tornar outra coisa. E devo dizer que não parece errado, não no momento, não o beijo em si.
 Então me afasto. Abro os olhos e me sinto calma. Mas sei que não por muito tempo. Sei que terei que lidar com as consequências desse momento — a culpa que virá certamente — neste instante, porém, estou serena.
 — Temos que fingir que esse beijo não aconteceu — digo.
 — Eu não gosto de fingir.
 Levanto-me.
 — Mas você vai fazer isso por mim. Eu preciso fingir neste momento.
 — Tudo bem — concorda ele. — Vou fingir, mas não vai ser fácil.
 — Não foi um beijo de verdade — argumento, e é quase verdade.
 — Que beijo? — diz John, mantendo a palavra.
 — Certo — digo. — Vou para casa.
 — Você está bem para dirigir?
 — Estou ótima.
 E estou de fato. Sinto-me estranhamente serena. Caminho até a porta. Sei que irei para casa e ocuparei meu posto na cadeira ao lado da cama, observando Artie enquanto ele dorme. Talvez eu chore novamente, ou talvez não. A verdadeira tristeza tem que ter também um pouco de alegria. É tudo parte do trato.
 Antes de sair, pergunto a John:
 — Você usava jaqueta jeans na escola?
 — Sim, usava — responde ele. — O tempo todo. Jeans lavado.
 — Bem que eu imaginei — digo. — Bem que eu imaginei.

Capítulo 26

EM ALGUM MOMENTO CADA UM DE NÓS É O VILÃO DE ALGUÉM

O beijo se repete na minha cabeça como um rolo de filme rodando continuamente, e com todas as sensações. Posso sentir os lábios dele na minha boca e, todas as vezes, sinto um calor no peito e um rubor na face. Não importa o que eu esteja fazendo — lavando louça, escovando os dentes, pegando a correspondência na caixa de correio —, de repente, por uma razão que só eu sei, fico vermelha. E o rubor é causado pelo filho de Artie? Seu próprio filho? E é um tipo diferente de calor que sinto em meu peito, um tipo diferente de chama. Será possível olhar para isso que aconteceu de algum outro modo, a não ser como um castigo para Artie — mesmo que ele não saiba? Quando estou com ele — inclusive quando ele está dormindo e eu me entretendo dobrando cobertores —, me sinto uma traidora. Mas sou uma traidora no ninho do traidor e então racionalizo rapidamente. Finjo que Artie descobriu e está furioso, mas eu lhe falo apenas com uma voz calma (e exausta), "Eu sei como você se sente".

A culpa é apenas uma parte disso tudo, claro. O que fica mais evidente é uma grande confusão. O que significou aquele beijo? Ele não aconteceu num momento de bondade e tristeza? Por que tem que vir embrulhado com tudo mais que um beijo representa? Foi verdadeiro ou não? Basicamente, isolo o beijo em um canto do meu cérebro e tento tratá-lo como se fosse apenas uma pá de lixo.

Pela manhã, invento algumas desculpas para John, no telefone, tentando evitar a nossa excursão pela vida de Artie. Quando dou por mim, estou arrumando várias desculpas, cada uma menos convincente que a outra. A terceira delas é sobre comprar sapatos. John percebe logo.

— Você está inventando coisas. Está tentando ganhar tempo — diz ele. — Você está desistindo da excursão pela vida de Artie?

Será que ele não se sente culpado? Será que os homens são desprovidos do gene da culpa?

— Por que você sempre o chama de Artie? — pergunto. — Quando você vai passar a chamá-lo de pai?

— Você não está respondendo a minha pergunta — insiste John. — Você está se esquivando.

— Você é que não está respondendo as *minhas* perguntas — retruco. — *Você* é que está se esquivando.

Estamos ambos nos esquivando.

— Tudo bem se você quiser desistir do passeio. Eu só quero que você saiba disso e saiba também que eu sei.

— Ok — concordo. — Eu sei e agora sei que você sabe.

— Ok.

— Ok, ok.

Ele tem vindo à tarde para passar um tempo com Artie, e foi assim que aconteceu hoje também. Achei que eu tivesse me mantido ocupada tempo suficiente para não encontrá-lo, mas, quando entro em casa carregada de compras, quase trombo com ele.

— Você está aqui — digo.

— Você perdeu o jantar. Sua mãe me convidou para ficar. Deixe comigo.

E ele vai tirando as sacolas uma por uma até que minhas mãos ficam vazias. Posso ver a cozinha agitada com as mulheres: Elspa, Eleanor, minha mãe.

— Seguro o braço dele.

— Eu não estava realmente evitando você — sussurro. — Isto é, estou feliz de vê-lo. Eu só estava...

— Me evitando — completa ele. — Tudo bem. Eu entendo. Tem muita coisa acontecendo.

Ele entra na cozinha, e eu o sigo. As mulheres estão guardando as sobras em tigelas, lavando a louça, todas falando ao mesmo tempo. Ele e as sacolas de compras passam a fazer parte da cena. Quando me dou conta de mim, estou de pé à porta observando essas pessoas que se movem pela cozinha com um certo desembaraço — Elspa, Eleanor, minha mãe, John. E eu deveria incluir Bogie nesse conjunto. Ele encontrou um cantinho silencioso e se esparramou pelo chão, onde agora dorme como uma pedra. Não sei quando a tranquilidade tomou conta de tudo, mas aí está ela. E mesmo em relação a John, já que ele dispensou minhas desculpas — duas vezes agora —, e eu também de alguma forma me sinto à vontade — tanto quanto me é possível com o beijo pá de lixo espreitando nos recônditos do meu cérebro.

Decido me juntar a eles. Tiro uma taça de vinho do armário e me sirvo da garrafa que já está aberta.

Eleanor quer discutir como o comportamento de Artie está mudando.

— Você acha que está funcionando? — pergunta ela. — Essas mulheres estão mandando um recado para ele, não estão? Ele foi um infiel em série. Por quanto tempo mais conseguirá negar?

John pergunta então:

— Qual é mesmo a sua história com Artie? Acho que não sei.

Ela faz um gesto indicando que o assunto não tem importância.

— Eu fui apenas mais uma mulher para Artie. Só isso. Nada mais.

O médico esteve aqui mais cedo e informou que agora a saúde do Artie vai entrar em uma fase de piora constante. Minha mãe está ainda um pouco agitada, depois de ter falado com o médico, e a certa altura tocado a mão de Artie — sem motivo aparente. Ela está gastando, em seu cuidado conosco, a energia frenética que lhe restou. Ao ver John tirar um copo da lava-louças, ela se adianta e começa a esvaziar a máquina.

— Acho que o médico tem uma postura profissional admirável. Ele é muito tranquilizador.

Todas essas coisas — o cuidado conosco, o arrebatamento pelo médico — não fazem parte do plano que tenho em mente para minha mãe.

— Você deveria tentar *ser mais você*. Lembra?

— Fale na nossa língua, querida — diz ela. — Ninguém a entende quando você fala coisas assim.

— Eu entendo — diz Elspa.

Minha mãe suspira:

— É coisa de geração.

Elspa se vira para John:

— Você colocou Artie na cama hoje. Foi estranho colocar seu pai na cama?

Ele não se surpreende com a pergunta:

— Foi estranho. Quando criança, eu muitas vezes o imaginei me colocando para dormir.

— Interessante como as coisas se transformam durante a vida — observa minha mãe e olha para mim. — Em algum momento, quando não estamos prestando atenção, o filho pode, de algum modo, se transformar no pai.

— E o amor pode se tornar o inimigo — acrescenta Eleanor, em voz baixa.

— Ainda estou confuso — comenta John sentando-se após se servir de um pouco de uísque. — Em que época você e Artie namoraram? — pergunta ele para Eleanor. — Faz muito tempo? Foi mais recente?

— Bem, não foi como a situação da Elspa — responde ela.

E eu imagino se ela quis dizer que não foi no período em que eu e o Artie estávamos casados. Me ocorre então que nunca considerei que Eleanor fosse uma das mulheres com as quais Artie me traiu, o que, de um modo estranho, não é justo. Será porque ela não me parece uma traidora, ou por ser mais velha, ou talvez por causa de sua perna, o que é uma coisa horrível de se pensar?

— Sem ofensas, Elspa, Lucy.

— Sem ofensa! — diz Elspa.

E ela está realmente sendo sincera. Ela está tomando uma tigela de sorvete toda empoleirada, com as pernas cruzadas, em um banco junto à mesa da cozinha.

— Sem ofensa — digo, com menos entusiasmo.

Decido pegar também um pouco de sorvete e, então, vou até a pia, onde está minha mãe.

— Não se faça de boba comigo — sussurro, querendo dizer "Seja você mesma". — Você sabe exatamente o que eu quero dizer.

Ela olha para mim um pouco assustada e então sorri e dá de ombros.

— Mim não falar sua língua!

Ela mexe a mão simulando um bico de pato falando comigo. John se dirige a Eleanor:

— Você foi lá e conversou francamente com Artie como as outras mulheres?

— Eu não daria a ele essa satisfação — retruca ela de forma irritada e cruzando os braços.

— Se você fosse, o que você diria?

Todo mundo para o que está fazendo. Seguro minha tigelinha e o pote de Häagen-Dazs. Nos voltamos todos para Eleanor.

Percebo que não sei a resposta para nenhuma das perguntas de John — talvez por eu nunca ter considerado Eleanor uma ameaça real, o que, embora verdadeiro, não deixa de ser uma coisa horrível de se admitir, mesmo parcialmente. É evidente que Artie não gosta dela. Mas agora fico curiosa para saber por que ela está tão empenhada. Quando foi que seu marido ortodontista morreu? Como ela chegou a conhecer o Artie tão bem para odiá-lo tanto? Honestamente, sempre admirei a raiva que ela sente por ele. Sempre me pareceu tão pura e honesta — ao passo que a minha é tão complicada, como um enorme labirinto intrincado.

Eleanor não diz nada por um momento. Ela olha para cada um de nós na defensiva, como se tivesse sido acusada de alguma coisa. E, então, fala:

— Eu era a mulher, a viúva, que Artie largou quando encontrou Lucy — e olha para mim, desviando depois o olhar rapidamente e sentando-se à mesa do café da manhã. — Agora vocês sabem.

Por um momento paira um silêncio absoluto. Eu não sei o que dizer. Não fazia ideia de que Artie estivesse saindo com alguém quando nos conhecemos. Eu não sabia que ele tinha largado alguém por mim.

— Eleanor — digo, — eu sinto muito.

— Desculpe — resmunga John. — Não foi minha intenção.

Ele olha para mim, pedindo desculpas, e me parece que elas são dirigidas também a Eleanor. Mas esse pequeno instante, quando nossos olhos se encontram, é perturbador. O beijo está lá. Ele resiste. Mas, bem ao lado dele, há a imagem de Eleanor e Artie, um casal, e estranhamente consigo enxergá-la com clareza. Todo esse fogo que eles têm um pelo outro, agora transformado em raiva, algum dia foi algo mais.

— Tudo bem — diz Eleanor. — Não culpo você.

Ela se põe a limpar a bancada com um pano de prato e, de novo, não sei quem está pedindo desculpas a quem. Ela não culpa John Bessom por trazer o assunto à tona ou a mim por ter roubado Artie dela?

— Faz muito tempo. Eu já devia ter superado.

— Deve ter sido sério — observa minha mãe, e eu gostaria que ela não o tivesse feito.

— Conversamos sobre casamento — diz Eleanor. — Ele me chamava de foguetinho e dizia que eu era boa para ele. Alguém da sua idade, alguém que o entendia — ela dá de ombros. — Mas depois ele mudou de ideia.

Estou pasma. Sinto-me horrível. Não é minha culpa, sei disso. Mas, mesmo assim, eu sou a ladra, eu sou a coisinha jovem pela qual Artie a deixou de lado. Balanço a cabeça.

— Eleanor — falo novamente. É tudo que consigo dizer.

E então Elspa se manifesta.

— Isso tudo é tão positivo!

Todos nós viramos ao mesmo tempo e a encaramos como se ela fosse doida.

— Quero dizer que, de uma maneira ou de outra, estamos todos ligados, como uma família de verdade. Sempre quis uma família assim — e então acrescenta como se nos desse um bônus inesperado: — E das formas mais distorcidas também — ela nos olha com sinceridade. — Acho que, há muito tempo, todos nós temos procurado uma família, inclusive Artie.

Ela está certa — cada um de nós do seu jeito. Temos que concordar. A cozinha fica em silêncio, um silêncio tenso.

— Quero que vocês venham comigo e Lucy — diz Elspa. — Para me ajudar a recuperar Rose, minha filha. Eu quero que todos venham. Quero que minha família veja que eu tenho uma família.

— Você tem certeza? — pergunto com um certo pânico na voz.

— Eu sei que Artie não vai poder ir. Mas eu quero que todos os outros venham. Vai me ajudar a criar coragem. Vocês virão?

É Eleanor quem responde:
— Sim, claro. Eu terei que mudar o horário de algumas das queridinhas do Artie, mas elas estão acostumadas a serem manipuladas.
— Eu não sei. Quer dizer, você é que tem tudo sob controle — digo, mas ela me ignora.
— Você tem certeza de que se refere a mim também? — fala John me olhando de soslaio.
Elspa faz sim com a cabeça.
— Sim, claro!
— Espere — chamo a atenção.
Minha mãe sorri.
— Você precisa de mim, querida. Claro que irei — ela caminha até Elspa e aperta seu ombro. — Eu não aceitaria que fosse de outro jeito.
— De qualquer forma, isso pode ser um pouco demais para você. Todos nós? Você tem certeza de que é isso que quer? — pergunto a Elspa, esperando que ela mude de ideia.
— Sim — responde sorrindo e enfia uma colherada de sorvete na boca. — Me sinto tão melhor agora. Muito melhor.

Capítulo 27

SÓ É POSSÍVEL PLANEJAR ATÉ UM CERTO PONTO;
DEPOIS, CHEGA UMA HORA EM QUE É PRECISO AGIR

Mas não me sinto muito melhor. Estou angustiada, talvez mais do que em qualquer outro momento desde que tudo isso começou, e eu não consigo imaginar de que forma essa viagem "em família" poderá ajudar. Contudo, não importa o que eu sinto. Elspa, impregnada dessa estranha confiança que eu não consigo entender, liga para os pais e faz com que todos nós sejamos convidados a participar do *brunch* familiar de domingo em Baltimore.

Apenas dois dias mais tarde, na manhã do domingo, entro cedo na cozinha carregando minha malinha. Se tudo der certo, vamos passar apenas uma noite fora — e como vai ser? Vou dividir um quarto com todas as mulheres? Ou só com minha mãe — e Bogie, que ela insistiu em levar junto? Haverá lugar para todos no carro? Sou tomada pelo medo ao ver minha mãe sair do banheiro usando um chapéu imenso, como se estivesse indo para as corridas de cavalos, e Eleanor tomando café na cozinha com uma mala e uma bolsa gigantes aos seus pés.

John entra na cozinha e se serve de uma xícara de café.

— Bem, senhoras — diz ele, — estão prontas?

Minha mãe ajeita o chapéu.

— Claro que estamos.
Então Elspa aparece. Ela está vestida como sempre — jeans e uma camiseta preta, com as tatuagens aparecendo. A argola do lábio é até um pouco maior e o delineador mais escuro — como se ela tivesse se arrumado para uma ocasião especial. Olho para John. Ele olha para mim e de volta para Elspa. Minha mãe suspira e Eleanor tosse — código para *temos um problema*. Ninguém recomendou a ela que se arrumasse melhor para a viagem em busca de sua filha, mas obviamente era algo que estava subentendido — por todo mundo exceto por ela.

— O que foi? — pergunta Elspa.
— Só um minuto — respondo.
— O quê? — insiste Elspa.
— Você precisa se vestir de acordo.

Pego a mão dela e a conduzo para o quarto de hóspedes. Lá dentro, apanho algumas roupas mais sóbrias e confortáveis. Uma camisa, um cardigã, calças de sarja cáqui.

— Calças de sarja? Isso não é um pouco cruel demais? — se exaspera Elspa.
— O que há de errado com calças de sarja?
— Minha mãe vai saber. Não dá para enganá-la.

Removo um pouco do delineador, escovo o cabelo espetado e lhe dou um par de óculos escuros retangulares. Digo a ela que tire a argola do lábio. Ela bufa mas segue as ordens e a guarda no bolso.

Dou um passo para trás para admirar minha obra.
— Nada mal.
Elspa se olha no espelho. Ela não se mostra impressionada.
— Pareço alguém com prisão de ventre.
— Você parece alguém confiável, e é isso que estamos buscando.

Logo depois, retornamos à cozinha, onde John, Eleanor e minha mãe esperam por nós. Mas, ao contrário do que eu esperava,

201

eles não demonstram qualquer espanto. Minha mãe e Eleanor se mostram satisfeitas, mas John fica meio hesitante. Ele olha para Elspa e pergunta:
— Onde está Elspa?
— Está aqui — digo. — Vamos nos atrasar se não nos apressarmos.
Seguimos para a porta da frente, Eleanor lutando com suas malas abarrotadas.
— Acho que ela foi picada pelo bichinho da Gap — John faz um gracejo.
— Engraçadinho — retruco.
— Eu não estou com cara de alguém com prisão de ventre? — pergunta Elspa.

Vamos todos rapidamente para o carro. Elspa se joga no meio do banco de trás, pronta para partir, e Bogie, que hoje veste um suporte atlético verde com uma barra de crochê nas costas, aterrissa de qualquer jeito no colo dela. Acariciar Bogie ajuda Elspa a se entreter. John coloca nossas malas no porta-malas e, quando admite não ter senso de direção, ele se oferece para dirigir, e prontamente lhe atiro minhas chaves.

Eleanor e minha mãe discutem sobre quem vai sentar no banco da frente. Uma discussão acalorada, na qual minha mãe, em seu estilo passivo-agressivo, não deixa claro quem deve sentar onde, mas faz um longo discurso sobre certos problemas de bexiga.

Eu sou a única parada no quintal. A única que não se despediu de Artie. Eu sei que ele quer que eu vá, pois me fez prometê-lo, mas, ainda assim, descobri que não consigo lhe dizer adeus pessoalmente.

Um dos enfermeiros ficará com ele vinte e quatro horas, por precaução. (E, francamente, ele nunca gostou de ficar sozinho — o que não é de surpreender.) Olho para cima e, através da janela, vejo o enfermeiro no quarto de Artie. Sei que eu deveria ter dado uma passadinha lá para dizer um rápido tchau, mas não consegui. Toda vez que o vejo, sinto como se não pudesse respirar. Mas eu tenho que falar com ele antes de ir. Abro o celular e ligo para o telefone de casa.

O enfermeiro atende.

— Residência dos Shoreman.

— Quero falar com Artie. É Lucy.

— Mas você já saiu? — o enfermeiro aparece à janela, olha para mim e acena.

Aceno de volta.

— Você pode colocar Artie na linha, por favor?

Ouço o enfermeiro explicando quem é.

Artie atende:

— Você não ia conseguir sair sem se despedir.

— Não morra nos próximos dois dias — ordeno a ele.

— Não morrerei. Juro de coração, defeituoso e tudo.

Ele aparece na janela, uma mão puxando a cortina. Há tanto tempo não o vejo fora da cama.

— Sou uma pessoa ruim demais para morrer a essa altura.

— Ruim demais?

— Você esteve aqui nos últimos dias? Notou o derramamento de ódio em cima de mim?

— Você deu o fora na Eleanor quando começou a sair comigo?

— Eu me apaixonei completamente por você! — justifica ele, um pouco na defensiva. — Foi uma boa decisão, aliás. Quero dizer, teria sido pior continuar a sair com ela, não é?

Sinto que devo proteger Eleanor — mesmo eu tendo sido a outra nesse caso. Detesto saber que ele a machucou. Detesto saber que sua capacidade de magoá-la seja parte de sua capacidade de me magoar.

— Vamos voltar a falar sobre o quanto você se sente ruim. É melhor.
— É verdade, mas não quero falar disso — diz ele.
Há uma longa pausa.
— Estou me sentindo muito imprestável.
Lembro da prancheta de Eleanor — o diagrama dos sete estágios do sofrimento de Artie por suas infidelidades.
— Você está desesperado?
Silêncio na linha. Observo Artie pela janela. Ele cobre os olhos com uma mão e me pergunto se ele estará chorando. E então ouço um soluço inconfundível.
— Estou desesperado — desabafa. — Não sou muito bom em desespero. Vai contra minha natureza.
Não consigo olhar para ele e, então, desvio os olhos na direção da cerca-viva bem aparada do vizinho.
— Acho que isso pode ser bom.
Ele pigarreia.
— Eu sei, eu sei — concorda. — Eu acho que você pode estar certa.
— E talvez seja melhor assim.
— Assim como?
— Pelo telefone. Não consegui lidar muito bem com tudo isso pessoalmente. Talvez desse jeito funcione. Precisamos conversar.
— Farei como você quiser.
— Eu lhe telefonarei.
— Está ótimo.
Percebo que estou abandonando Artie novamente. Embora seja diferente dessa vez, não posso negar esse fato, como também não posso negar que ir embora me faz bem, de um jeito estranho, como se o desejo de partir estivesse nos meus genes. É claro.
— Talvez eu seja meu pai — sugiro.
— Eu acho que não teria me casado com seu pai — rebate Artie.

Ele está acostumado com minhas mudanças bruscas de assunto.

— Estou partindo de novo.

Talvez não seja o Artie, mas eu mesma, a versão freudiana de meu pai. Quem sabe meu subconsciente não tenha me enganado.

— Estou partindo como meu pai.

— Não — diz Artie. — Não como seu pai. Porque você vai voltar, não vai?

Sua voz deixa transparecer uma vulnerabilidade que eu já havia percebido outras vezes desde que voltei para casa. É algo recente, que se instalou com a doença.

— Exato — confirmo. — Eu vou voltar. Logo.

Ele faz uma pausa.

— Eu amo você.

— Eu não sei por que ainda amo você também. Em certa medida, devo ser um desafio à lógica — digo e não espero por uma resposta.

Estou chocada por ter falado tanto. Fecho o telefone, caminho até o carro, entro e bato a porta. Eleanor, minha mãe e John me seguem, fechando as outras três.

— Você está pronta? — pergunta John.

Sinto-me desorientada por um momento.

— Para o quê? — pergunto.

— Para partir — responde ele.

— Não precisamos ir — fala Elspa baixinho.

Talvez ela esteja pensando melhor.

— Vamos — digo. — *Precisamos* ir.

Capítulo 28

SUBORNAR PODE ESTAR NO SANGUE

A viagem da periferia de Philly até Baltimore deveria levar duas horas no máximo, mas pegamos trânsito. A ausência de movimento faz o ar dentro do carro parecer estanque. John liga o ar-condicionado. Observo-o discretamente. Será que ele pensa no beijo? Será que fica se perguntando o que significou? Será que tentou reduzi-lo a uma pá de lixo nos recônditos do seu cérebro?

Ele é o primeiro a quebrar o silêncio.

— O carro está cheio de especialistas em Artie — declara.

— Vocês deveriam me dar um curso intensivo.

Eleanor resmunga, mas não se opõe à ideia. Ela ganhou o banco da frente, uma prova de sua determinação e habilidade de negociar na língua nativa de minha mãe — a linguagem da agressão passiva. Estou sentada no banco de trás com Elspa e minha mãe, que viaja aborrecida.

Tentando manter o clima leve, proponho um desafio.

— Tudo bem — digo. — Vamos ver quem consegue contar a melhor história sobre Artie. John pode ser o juiz.

— Ok — concorda Elspa.

— Aumente o ar — pede minha mãe, tirando o chapéu e abanando com ele o rosto maquiado.

Começo o jogo, contando uma história do tetravô de Artie, que chegou a este país como prisioneiro, roubou barris de bebida, foi preso e não aceitou a alternativa que tinha: ser enforcado na Inglaterra.

— Você tem sangue de ladrão — digo a John.

— Graças a Deus o lado da minha mãe é de Puritanos — rebate ele com sarcasmo.

— Como é a sua mãe? — pergunta minha mãe, se inclinando para a frente no vão entre os bancos.

— Ela é uma figura — diz John com um suspiro de resignação.

— E o cachorro que o mordeu na bunda quando ele era criança? — fala Elspa. — Você conhece essa? — ela me pergunta.

— Conheço — respondo.

Eu deveria não me importar mais com o fato de Artie contar histórias a Elspa, de eles serem próximos, de dormirem juntos. O único motivo pelo qual Artie teria contado essa história seria a cicatriz. Tenho certeza de que Elspa também fez a pergunta "Como você conseguiu essa cicatriz?". Não consigo deixar de me importar, e Elspa percebe. Ela se segura e me passa a vez.

— Você conta essa.

— Não, é sua vez.

— Mas, na verdade, é só isso. Foi um terrier que grudou na bunda dele e não largava mais. Artie ficou correndo em círculos, com o cachorro balançando atrás. Até hoje ele tem medo de cachorros por causa disso.

— Sou descendente de ladrões que rodam com cachorros grudados atrás — fala John. — Estou anotando mentalmente.

— Eleanor? — chamo com um pouco de medo da história que ela possa contar, mas também querendo ouvir. — Você tem uma história?

— Nada que alguém queira escutar — responde ela, mexendo na presilha prateada que segura seu cabelo.

— Ele precisa saber do lado bom e do lado ruim — tento argumentar.

Ela faz uma pausa

— Certa vez ele me levou para dançar.

Todos nós paramos. Não é uma história propriamente — boa ou ruim. Olho para ela, esperando que continue.

Ela prossegue então:

— Eu não danço. Nunca dancei.

Ainda estamos esperando mais. Ela tira a presilha, como se estivesse sendo beliscada e esfrega a parte de trás do pescoço antes de continuar.

— Minha perna, vocês sabem, eu nasci assim e, por isso, nunca tive aulas de balé. Nos bailes de debutante e de formatura eu ficava sentada todo o tempo. Devia ter dançado, claro, mas minha mãe simplesmente me tirou essa possibilidade. Nunca tive essa chance. Mas Artie me levava para dançar.

Ela olha pela janela, com seu cabelo solto e cheio emoldurando seu rosto.

— Era incrível.

— Essa história é linda — observa Elspa.

E fico feliz por ela fazê-lo, porque me faltam palavras. A história é tão simples, mas tão comovente que minha garganta se aperta.

— Mas o extraordinário nisso — continua Eleanor, — é perceber como um momento bonito pode machucar depois — ela fica constrangida e se endireita no banco. — É sua vez, Joan — diz para minha mãe.

E então minha mãe fala sem emoção alguma:

— Eu tentei subornar Artie para que não se casasse com Lucy.

— O quê? — grito, virando-me repentinamente no assento.

John, que estava indo devagar, pisa nos freios — uma reação à notícia ou à minha explosão, ou alguma coisa relacionada à estrada; impossível dizer. Com o solavanco somos jogados bruscamente para a frente e para trás.

— Desculpe, foi culpa minha — diz John.

— Ele não aceitou o suborno — acrescenta ela, como se estivesse anunciando a melhor das notícias.

— Não consigo imaginar Artie aceitando suborno por nada — declara Elspa.

— Na verdade, na época eu era casada com alguém muito bem de vida — explica minha mãe, — e foi uma oferta bastante generosa em termos de suborno.

Ficamos todos olhando para ela, inclusive John, que a observa pelo espelho retrovisor. Minha mãe acrescenta, um pouco na defensiva:

— Essa história é sobre o Artie legal — diz ela. — O que vocês estão olhando?

— Pode se encaixar na categoria de história sobre o Artie legal, tecnicamente, mas não é uma história de uma mãe legal — explico, tentando ser paciente.

— Bem... — ela reage brava. — Eu só estou tentando fazer parte do jogo. Não sabia que as regras eram tão complicadas!

E, então, Eleanor começa a rir — de leve a princípio — murmurando:

— Uma oferta muito generosa em termos de suborno.

E depois seu riso se torna histérico, o corpo chacoalhando incontrolavelmente. Elspa é a próxima, e depois John. E agora minha mãe sorri, como se tivesse contado uma piada que as pessoas finalmente começaram a entender. Ela tentou subornar Artie "com uma oferta muito generosa em termos de suborno". Finalmente, começo a rir também. O carro todo vibra com as risadas.

Quando chegamos do outro lado da Ponte Memorial de Delaware, o trânsito melhora, e compensamos o tempo perdido. Neste momento minha mãe anuncia que precisa ir ao banheiro. Paramos em um posto de gasolina fora da estrada. A caminho do banheiro, com Bogie no colo, ela pega o celular.

— Só vou ligar para ver com o enfermeiro se está tudo bem.

Antes que eu consiga dizer que posso ligar, ela já está fazendo a ligação. E acho que é melhor, porque prometi ao Artie uma conversa de verdade. Enquanto minha mãe e Eleanor vão ao banheiro, eu compro tudo que é próprio para uma viagem de carro — batata frita, chicletes, Gatorade — e quando volto encontro John operando a bomba de combustível. Ele está suado e tem os olhos semicerrados. Está usando um boné de beisebol dos Red Sox enterrado na cabeça. Procuro algo de Artie em sua postura, o rosto, o olhar, mas só consigo ver o próprio John, uma mão no bolso, as calças levemente amarrotadas, o jeito simples de encarar o mundo. Seu nariz é um pouco torto, mas isso apenas o faz parecer mais natural.

Elspa aparece ao meu lado e diz:

— Ele não é Artie, você sabe.

Fico surpresa com o comentário, mesmo não havendo nele um tom malicioso, e fico tentando descobrir de onde tal comentário pode ter saído.

— Eu sei — afirmo, um pouco na defensiva.

— Você não pode transformá-lo em Artie.

— Eu não estou pensando em fazer isso. Mas por que você está dizendo essas coisas?

— Por nada — responde Elspa. — Estive apenas pensando. De certa forma, Artie foi uma figura paterna para mim, mas talvez para você também.

— Ele foi uma péssima figura paterna para mim. Como se eu precisasse ter sido traída pelo meu pai de verdade e depois outra vez pela figura paterna que escolhi.

É a primeira vez que ponho em palavras esse sentimento, exatamente uma das razões pelas quais a infidelidade de Artie dói tanto e de um jeito tão familiar.

— Meu pai escolheu a outra família. Como no Jogo da Vida, ele pegou seu bonequinho de plástico azul e se transferiu para um outro carrinho de plástico.

Tento soar como se estivesse brincando, mas ainda há emoção em minha voz, uma raiva disfarçada, que me surpreende. Paro por um momento. Elspa me assusta às vezes, o modo como ela consegue escancarar as portas.

— O que Joan fez? — pergunta Elspa.

— Ela o substituiu por outra figurinha de plástico azul, e depois por outra, e mais outra. Não vou repetir os erros dela.

Ela olha para John, lavando o vidro da frente do carro com um rodinho.

— Artie foi uma boa figura paterna para mim. John parece mais como se tivesse a fascinação de uma criança pequena, eu acho.

— Isso é bom ou ruim? — pergunto.

— Creio que os dois. Nosso lado bom é só a outra face do lado ruim. Como você.

— Como eu? — quero saber.

— Você era sensível. Sentia demais. Essa era sua força e sua fraqueza. Você amou aquele pássaro.

— Que pássaro? — questiono irritada.

— O que você libertou abrindo a janela. Você amava o pássaro e amou Artie por ter medo do pássaro. Isso o tornava real.

— E qual o lado negativo de Artie?

— Ele ama demais. Ele não sabe como não amar.

Ela vai até o carro e se acomoda no banco de trás. Ainda estou de pé, confusa. Por algum motivo quero fazê-la lembrar de que Artie ainda está vivo e eu ainda sou a mulher dele. Mas isso apenas ia soar como algo de que estou tentando convencer a mim mesma, e não a ela.

Eleanor e minha mãe passam por mim, o vento balançando as orelhas de Bogie.

— Artie está bem — comunica minha mãe.
— Vamos? — pergunta Eleanor.
— Há algo errado? — minha mãe se dirige a mim.
— Nada — respondo. Não sei se fico brava com Elspa ou não.
John está terminando de encher o tanque. Ficamos em volta do carro, mas não queremos entrar ainda porque Elspa está no banco de trás, com a porta aberta, falando ao celular com seus pais.
— Certo. Vai ser legal — diz ela. — Eu não sei. Um pouco. É importante. Estaremos no Radisson. Eu ligo quando chegar.
Ela está curvada sobre o telefone e então se endireita, mas não consegue ficar à vontade.
— Sim, como eu já disse para vocês, eles são direitos e sóbrios.
Ela se vira para mim, olha em volta e depois me dá um leve sorriso. Seus olhos ficam molhados. Elspa tem a voz diferente quando fala com a família pelo telefone. Mais baixa, mais insegura e infantil.
— Eles são gente boa. As melhores pessoas que já tive como amigos.
Ela diz isso alto o bastante para que possamos ouvir. Claro que nenhum de nós menciona o *gente boa*, mas, quando ela desliga, há um novo sentimento de camaradagem. Todas as janelas estão um pouco abertas e Bogie está no colo da minha mãe com o nariz para fora em uma delas. Sopra uma brisa que despenteia nossos cabelos. Estas devem ser também as melhores pessoas que já tive como amigos, e me ocorre que talvez hoje eu seja a melhor versão de mim mesma. E quero que essa versão dure.

Capítulo 29

AS COLMEIAS DO SUBÚRBIO SÃO UM LUGAR PERIGOSO
— CUIDADO COM AS ABELHAS ASSASSINAS

Para chegar à casa dos pais de Elspa, ela nos faz atravessar uma parte triste de Baltimore. Nas fileiras de casas geminadas, muitas estão trancadas e exibem uma placa com os dizeres "Entrada proibida" presa à porta. As soleiras são cinza. Na rua, algumas crianças correm pela calçada e desaparecem por uma passagem estreita entre duas casas, enquanto três rapazes se reúnem na esquina, em frente a uma loja de bebidas, e uma velha senhora de olhar zangado, em pé à beira da calçada, procura algo nos bolsos de seu vestido.

Minha mãe estende a mão e tranca a porta do seu lado. John e Eleanor fazem o mesmo, e Elspa, inclinada para a frente, observa o cenário através do vão entre os bancos.

— Eu costumava passar muito tempo nesta parte da cidade — diz ela, subitamente agitada. — Diminua a velocidade.

Eleanor tira a bolsa dos pés e a segura no colo — instintivamente, penso. Minha mãe recoloca seu chapéu para cobrir o rosto como se fosse uma celebridade.

À medida que nos aproximamos de uma casa em ruínas à nossa direita, Elspa chega mais perto da janela e a observa passar como se fosse um monumento. Ela parece distante.

— Seus pais sabem o que você está vindo pedir a eles? — pergunta Eleanor pragmática.
— Sobre Rose? Não. Eles vão supor o pior. Que estou vindo pedir dinheiro para drogas.
— Nós estaremos ao seu lado, querida. Espero que possamos ajudar — acalenta minha mãe.
— Ela está certa — concordo. — Talvez você possa fazer uma boa oferta, em termos de suborno.
Elspa faz que sim com a cabeça.
— Vamos seguir em frente.
A paisagem em Baltimore muda mais rapidamente que na maioria das cidades grandes. Bairros pobres lado a lado com casas milionárias, algumas vezes divididas apenas por um cruzamento.
Elspa continua a indicar o caminho.
—Aqui à direita. À esquerda no próximo farol. Não falta muito agora.
Entramos em um bairro fechado. Minha mãe comenta sobre a beleza de um dos jardins e Eleanor concorda, como se, de repente, elas estivessem fazendo uma excursão pela região.
— É ali. Lá — diz Elspa apontando para o outro lado da rua, para uma casa grande, branca, com um imenso gramado verde. Vivo e caro. Há dois Volvos na garagem e uma minivan estacionada no meio fio, perto de um conversível Saab.
— Estão dando uma festa? — pergunta John.
— É o *brunch* de domingo com a família — responde Elspa. — Espero que vocês gostem de panqueca de siri.
— Quem não gosta de panqueca de siri? — observa minha mãe. — Bogie adora panquecas de siri! — ela dá tapinhas na cabecinha magra do cachorro.
— Elas me dão enjoo — diz Elspa.
John estaciona o carro atrás do Saab. Não sei o que dizer, então fico quieta. Saímos todos do carro e nos ajeitamos, alisando os amassados, endireitando os cintos — todos menos Elspa.

Abaixo e olho dentro do carro. Elspa inspira fundo, põe a mão na maçaneta da porta do passageiro, abre a porta, põe um pé no chão e olha para a casa.

— Eles são gente apenas. Nada mais — diz John.

— Com extremo bom gosto — ouço minha mãe murmurar, o que não ajuda.

Pego Elspa pelas lapelas, dou uma alisada no cardigã e empurro os óculos escuros para cima de seu nariz.

— Este é meu segredo e eu o aperfeiçoei depois de deixar Artie: você precisa se desligar emocionalmente. Só um pouco. Só até você conseguir passar por isso. Se não precisar deles, é mais provável que eles pensem que precisam de você.

E então dou um soquinho de leve no braço de Elspa.

— Ai — reclama ela.

— Resposta errada — falo dando outro soco.

Ela se encolhe.

— Ainda não está bom — digo a ela. — Você não pode reagir.

Dou-lhe outra pancada.

— Isso dói pacas — ela protesta, esfregando o braço.

John fala:

— Que tal parar de fazer isso?

— Ok, deixe pra lá — digo. — Faça o melhor que puder.

Vamos todos até a porta da frente. Elspa empurra os óculos para o alto da cabeça, o que faz seu cabelo se espetar um pouco. John toma a frente e toca a campainha.

— São apenas gente — diz ele.

Uma mulher alta e esportiva de cabelo grisalho em estilo chanel abre a porta — a mãe de Elspa. Ela olha para nós cinco, lançando um olhar especialmente severo a Bogie em sua roupa festiva. Seus olhos pousam novamente na filha.

— As panquecas esfriaram, a água tônica perdeu o gás. Mas entrem. Entrem.

E antes que se afaste para que possamos entrar, ela encara a filha e a segura pelos braços. Então, olha novamente para nós e diz a Elspa, balançando a cabeça na minha direção.

— Você pegou emprestado as roupas dela. Isso foi bem pensado.

Ela nos convida a entrar.

— Quem são seus amigos? Apresente-me.

— Lucy, John, Eleanor e Joan. Esta é minha mãe, Gail.

— Bem-vindos — diz ela, indicando-nos o corredor. — As panquecas esfriaram, a água tônica está sem gás!

— Eu gosto de panqueca fria — diz John.

A cozinha é ultramoderna, com acessórios cromados próprios de um restaurante sofisticado. Há um São Bernardo enorme e idoso dormindo em um canto. É o tipo de cachorro que gente rica costuma ter, e fica ali deitado como um tapete caríssimo de pele de urso. Lembro-me de uma das citações de minha mãe, da qual Artie mais gostava: "Um cachorro de estimação nunca deve ser maior que uma bolsa".

Gail começa a servir bebidas em copos altos. Elspa e eu olhamos pela janela. Vejo seu irmão e sua irmã e a família de cada um deles, todos reunidos no quintal. Há um homem que, pela idade, imagino ser o pai. Ele está sentado em uma cadeira Adirondack. Em um canto na parte de trás tem um gazebo e flores contornando o jardim. Crianças correm umas atrás das outras e, entre elas, uma garotinha de três anos. Observo Elspa olhar para a menina. Rose é linda e me faz sentir aquela angústia que só crianças lindas conseguem provocar. Durante muito tempo desejei ter uma. Mas também sinto dor por Elspa. Seus olhos devoram a criança.

Gail nos serve panquecas em pratos enfeitados.

— Aqui está. Com minhas desculpas. Bem, agora acho que estou me desculpando pelo atraso *de vocês*. Isso não faz sentido.

— O trânsito estava horrível — justifica minha mãe. — E eu necessito de paradas constantes, você sabe como é.

Gail não se mostra disposta a compartilhar com minha mãe esse pequeno traço de semelhança, apenas sorri educadamente:

— Vamos lá para fora.

Seguimos até o quintal, e um rapaz chega correndo e dá um grande abraço em Elspa. Ela o abraça com força.

— Você está ótima! — diz ele e depois se volta para nós. — Eu já tenho que pedir desculpas por algo que Gail disse? Desculpem qualquer coisa.

— Obrigada, Billy — fala Elspa e então nos apresenta a seu irmão, mantendo, porém, um olho em Rose, que é ainda mais linda de perto. Ela tem olhos brilhantes e está vestida com uma roupinha florida que parece cara.

— Ela está bem — informa Billy. — Já tem um bom senso de ironia e detesta injustiça. Como a mãe.

Comento com Elspa como sua filha é bonita. Todo mundo concorda.

— Ela realmente é. Imagine, você fez algo assim — diz John.

Elspa sorri.

— Não vestida desse jeito.

Mais tarde, fico perambulando pelos cantos, no gazebo. Elspa brinca com Rose, levantando-a toda vez que a menina cai em cima de uma bola de futebol. Minha mãe anda pelos jardins, anotando mentalmente o que vê, sem dúvida. Ela pôs Bogie no chão, e ele está cheirando a grama.

Ali perto, John conversa com o pai de Elspa, Rudy, um homem com cara de quem joga golfe, vestido com uma camisa pólo elegante cor de limão.

— Então, o que você faz, John?

— Vendas. Sou empresário.

— Hum. O último namorado de Elspa era empresário. Então, ela escolheu outro traficante. Quase atirei nos fundilhos do último *malaco*.

Fico um pouco surpresa pelo termo *malaco*. Se John também ficou, não demonstra. Mas Rudy se explica:

— Aprendemos a terminologia.

— Não sou namorado de Elspa. E eu tenho uma loja de camas e colchões.

— Hmmmm — diz Rudy. — Entendo.

Volto para a cozinha e não encontro ninguém, o que me deixa muito feliz. Começo a colocar os pratos na pia, quando Gail aparece carregando mais louça. Ela aproveita esse momento sozinha comigo para ser direta.

— Só quero dizer que seus esforços vão ser mais bem recompensados se aplicados em outro lugar. Estamos com a Rose há um ano e meio e devíamos tê-la trazido quando nasceu.

Ela balança a cabeça e indica Elspa e Rose através da janela.

— Ah, a maioria dos bebês aprende a manter a cabeça erguida, mas Rose teve o prazer de usar heroína.

— Elspa é uma pessoa diferente agora.

— Ela quase morreu queimada numa boca de *crack*. Grávida de sete meses.

Podemos ouvir Elspa e os outros membros da família no quintal. Alguém está torcendo. Alguém deve ter marcado um gol. Deixo Gail à pia lavando os pratos.

Logo o *brunch* de domingo vai chegando ao fim, e as outras famílias vão se despedindo. Billy dá um abraço em Elspa, caloroso e triste. Ele pega seu filho. Sua mulher apenas acena.

Gail se vira para minha mãe:

— Então, você mesma fez essa roupinha para seu cachorro? É bastante... bastante diferente.

— Na verdade, sim — responde minha mãe.

Morro de vergonha quando ela começa a contar sobre o problema do superdotamento de Bogie, incluindo, claro, algumas menções da palavra *pênis*, em voz sussurrada. Saio de perto, fingindo-me entretida com as árvores altas.

John aparece ao meu lado, e fico surpresa por encontrá-lo subitamente tão perto. Ele cheira bem — a coquetel e um pouco de canela. Ele diz, em voz baixa:

— Você tem algo para me contar?
— Algo para lhe contar?
— Sinto que existe alguma coisa mas que você não está dizendo. Eu só queria lhe dar a chance de falar, se você quiser. Mas se não quiser...
— Ou se eu não tiver nada a dizer...
— Certo, exatamente, então tudo bem.
— Tudo bem.
— Tudo bem você tem algo para me contar? Ou tudo bem você não quer? Ou tudo bem você não tem nada para me dizer? Fico completamente confusa.
— Sim.
— Sim o quê?
— Não sei.
— Podíamos tentar como uma conversa — diz ele. — Eu falo alguma coisa. Você também. Assim, vai e vem.
— O beijo virou uma pá de lixo — sussurro a ele. — Não é mais nada que isso agora. Não significa nada para mim, sério. Estou bem com isso. E você?
— Pá de lixo?
— É — respondo.

Ele não fala nada. Apenas olha para mim, pasmo.

— Isto é uma conversa. Eu digo algo. Você diz algo.
— *Pá de lixo?* — repete ele.
— Um *ping-pong*, vai e volta. Uma conversa — explico.
— Ok, o beijo não deve existir. Foi esse o acordo. Eu prometi.
— Mas você pensa nessa coisa que não existe?

— Sim — responde ele.
E eu sei que desejo que ele pense. Quero que ele tenha tentado resolver isso na cabeça, como eu fiz. Mas logo que eu percebo ter ficado contente por ele responder sim, compreendo que não deveria. Eu não deveria nem querer saber.
— Ok, então — concluo. — É o que eu queria saber.
— Deixe-me acrescentar algo, embora o beijo inexistente meio que exista, eu não penso nele como uma pá de lixo.
— Certo — admito. — Eu tentei isso, mas acho que não funcionou muito bem.
E me volto para minha mãe que ainda está tagarelando sobre Bogie e seu fardo.
Gail parece confusa. Tem uma expressão contrariada. E então, por sorte, Rose tenta pegar um prato de bolo mas não consegue alcançar e grita:
— Mamãe! Mamãe!
Elspa se levanta para ajudá-la. Mas Gail chega primeiro, com um movimento rápido. Na verdade, Rose está chamando Gail.
— Eu posso pegar — diz Elspa.
Gail levanta Rose.
— É hora da soneca.
Rose vira a cabeça para trás:
— Eu não quero soneca!
— Eu a levo lá para cima — fala Elspa.
— Seguir a rotina é melhor — adverte Gail e vai embora com a criança.
Elspa fica desapontada, abalada, mas tenta manter a compostura.
— Acho que devemos ir também — decide ela.
Rudy vai à frente para nos acompanhar até a porta. Enquanto atravessamos a casa, bem decorada, viro-me para Elspa:
— Procure marcar um segundo encontro para conversar, num lugar neutro.

Escuto John sussurrar para ela:

— Você vai conseguir.

Elspa olha para nós dois nervosa e faz que sim com a cabeça. Atravessamos a casa, a porta da frente e, de pé no jardim, o pai de Elspa se despede de nós com um aperto de mão. Ele diz a Elspa:

— Você vem amanhã? Adoraríamos vê-la.

— Eu quero conversar com vocês sobre algo.

— Você sabe muito bem que não podemos mais lhe dar dinheiro e também que tivemos aulas de como lidar com crianças viciadas. Maldição, isso foi uma humilhação para sua mãe.

— Eu não quero dinheiro. Não é sobre isso que eu quero conversar.

Ela começa a recuar. Balanço a cabeça com a intenção de fazê-la manter sua posição. Ela para, olha para a casa, cruza os braços e os aperta com firmeza. Posso ver, de onde estou, que ela está tocando o ponto onde lhe dei o soco, buscando forças.

— Vamos nos encontrar num restaurante. E quero ficar com a Rose amanhã.

O pai olha para cima da escada atrás dele, onde Gail está colocando Rose para dormir.

— Tudo bem, acho que é possível.

— Eu só quero levá-la ao parque ou ao zoológico, algo assim.

— Não tentamos isso ainda. Você tem certeza? Sozinha?

— Talvez com meus amigos também.

— Uma visitinha ao zoológico?

— Estou limpa faz um bom tempo. Quero levar minha filha ao zoológico. Tenho direito a isso.

Ele concorda.

— Certo.

E se aproxima dela. Não fica muito claro para quê exatamente, talvez queira lhe dar um abraço.

Ela se vira e corre para o carro.

Assim que entramos no carro, por um momento ficamos todos ainda com a respiração suspensa.

John se manifesta.

— Isso é uma verdadeira colmeia de abelhas assassinas.

— Com gosto requintado — completa minha mãe.

Eu rebato.

— Mas temos um segundo encontro em outro lugar.

— Você foi demais! — diz Eleanor. — Realmente durona — e, vindo de Eleanor, parece o maior dos elogios.

— Fui? — pergunta Elspa.

— Foi — confirma Eleanor.

Capítulo 30

SOMOS AS HISTÓRIAS QUE CONTAMOS E AS QUE NÃO CONTAMOS

Na recepção do hotel Radisson, no centro de Baltimore — um saguão chique, com diversas estátuas de leão —, não conseguimos decidir como fazer a divisão dos quartos. Para irritação da recepcionista, uma jovem de maquiagem carregada — alguém que minha mãe diria parecer "extremamente produzida" —, desfiamos as possibilidades ali no balcão.

— Mãe e filha — sugere minha mãe.

Ela está agitada, os olhos inquietos. Esse hotel não aceita animais. Bogie ficou no carro e vai ter que ser trazido escondido para dentro. Ela fala ao mesmo tempo em que explora o lugar com os olhos.

— Mas eu quero ajudar Elspa a se preparar para isso, então talvez... — tento explicar.

— Eu fico com um quarto só para mim, se ajudar — fala Eleanor.

— Não seja boba — retruca minha mãe, suando de nervoso.

— Eu vou pegar um quarto só para mim — diz John.

— Você não devia ter que pagar — digo.

Não sei como isso vai terminar mas, pelo jeito, fui eu que o coloquei na confusão e sei que ele não dispõe de muito dinheiro no momento.

— Não, não — protesta ele.

No final, Elspa e eu ficamos com um quarto. Eleanor e minha mãe, com outro. E John, sozinho. Depois de mais alguns momentos brigando sobre quais cartões de crédito serão usados — John não me deixa pagar —, tomamos o elevador.

E, assim que ele dá o primeiro solavanco e começa a subir, Eleanor diz:

— Sempre gostei de elevadores, desde quando eu era pequena.

Viro-me e olho para ela. Esta é a mulher com quem Artie me confundiu em um dos seus bilhetes numerados presos por garfinhos de plástico em algum arranjo de flores gigantesco.

— O que foi? — pergunta ela, olhando para mim.

— Nada — respondo.

Passou. Não devia mais importar e, mesmo assim, não consigo evitar. Estou aborrecida pela lembrança da infidelidade de Artie.

Descemos todos no mesmo andar — no que minha mãe insistiu, por questão de segurança — e cada um segue sua direção.

Assim que Elspa e eu nos acomodamos no quarto, começo a escrever um roteiro para ela, no papel de carta do Radisson, listando dicas na arte da persuasão. Ela está deitada em uma das camas, olhando para o teto, com as mãos cruzadas sobre o peito.

— Ouça, você precisa lembrar que não cedeu nenhum dos seus direitos legais nessa situação. A criança é sua. Mas é claro que não queremos recorrer a esse tipo de linguagem. Temos que passar a eles a ideia de você como mãe. Está me escutando?

— Estou rezando.

— Não sabia que você era religiosa.

— Não sou.
Os olhos de Elspa estão bem fechados. Suas mãos também.
— Acho que vou deixá-la sozinha. Vou sair para comer com os outros — levanto-me e pego a carteira. — Você quer vir?
Ela faz que não com a cabeça.
— Quer que eu lhe traga alguma coisa?
— Uma salada.

Bato na porta do quarto de Eleanor e minha mãe. Ninguém responde, e fico imaginando aonde elas terão ido. Sigo para o quarto de John; talvez ele saiba. Bato na porta. Há um leve arrastar de pés, e ela se abre. John está ali de pé, desarrumado e sonolento; sem camisa, com um jeans folgado que, obviamente, acabou de vestir.
— Você estava dormindo?
— Na verdade não — responde ele, tentando parecer animado.
— Tirando uma soneca ou fazendo de conta?
— Engraçadinha.
— Bati no quarto da minha mãe para ver se elas queriam jantar, mas ninguém respondeu.
— Elas já saíram. Vieram me chamar, mas não queriam perturbar você e Elspa. Acho que agora estou com uma certa fome.
— Ah — digo, percebendo que eu não tinha pensado em convidá-lo para jantar, mas pelo jeito convidei. — Eu só queria comer alguma coisinha, na verdade. Podemos pedir serviço de quarto.
— Não, não — protesta ele. — Só preciso de um minuto. Vamos sair. Comer algo que valha a pena. Entre. Vou só vestir uma camisa.

Entro e fecho a porta. Lá está ele, vestindo a camiseta e depois abotoando a camisa. Não deveria ser embaraçoso. Ele está se vestindo, não se despindo. Mas, mesmo assim, estamos juntos

em um quarto de hotel. Há roupas envolvidas. Eu começo a tagarelar.
— Bem, então acho que somos só nós. Elspa está rezando — digo.
— Ela quer que a gente traga apenas uma salada.
— Eu não sabia que ela era religiosa — comenta ele, colocando a carteira no bolso.
— E não é.

Nós sentamos em um restaurante de frutos do mar cujas paredes são decoradas com redes ressecadas, remos e varas de pesca e ficamos examinando o cardápio. Em vez de toalha, a mesa é coberta por papel grosso. O garçom então se aproxima e puxa a caneta dizendo:
— Sou Jim, seu garçom.
E se inclina em direção à mesa e escreve J-I-M em letras grandes. John estende a mão e Jim, como era de se esperar, entrega a caneta a ele.
— Sou John.
Ele escreve o nome na sua frente e me entrega a caneta.
— Eu acho que sou Lucy então — digo, escrevendo meu nome também.
Devolvo a caneta ao garçom, que está um pouco atônito.
— Que posso trazer para vocês esta noite?
Pedimos os especiais do dia e vinho. E nos vemos ali, sentados comportadamente, não muito à vontade.
— Você tem uma caneta? — pergunta John.
— Claro — remexo na minha bolsa e tiro uma. — Para quê?
— Vou contar uma história da minha infância.
— Mesmo? Nada de Jethro e Vovó?
— Não. Vou contar e desenhar.
— Eu não sabia que você era artista.
— Eu era o melhor desenhista da minha classe na terceira série. Mas perdi o interesse depois de ter sido humilhado pelo meio artístico de Nova York.

— Eles são tão volúveis.

Ele está desenhando agora uma figurinha, uma mulher com cabelo no formato de uma grande cúpula

— A culpa é da minha professora do terceiro ano. A sra. McMurray não estimulou minha carreira do jeito que deveria — diz.

— Essa é a sra. McMurray? — pergunto, apontando para o desenho.

— Não — responde ele. — Esta é Rita Bessom. Minha mãe.

— Ela tinha um cabelão.

— Ela acredita em cabelão. Acho que é onde esconde seus objetos de valor. Ainda tem cabelão, embora seja um pouco mais ralo. Este é o cabelo de quando ela era jovem. Era apenas uma garota quando eu nasci.

Ele está desenhando uma figura de homem agora.

— É uma história de amor?

— Na verdade, não. Minha mãe não é do tipo amoroso. Um dos seus objetos de valor pode ter sido seu coração, que ela manteve escondido em seu cabelo enorme.

— É uma imagem perturbadora.

— Foi o que me veio à cabeça — diz ele. — Sou um artista ousado.

— E esse é o jovem Artie Shoreman? — pergunto, tomando um gole do vinho que chegou.

— Não — responde ele. — Este é Richard Dent.

— Quem é Richard Dent? — pergunto.

Ele desenha outro homenzinho, agora ao lado de Richard Dent. Ele tem ombreiras e uma mala.

— E este é Artie Shoreman, vestido de mensageiro.

— Ah — exclamo. — Entendo — mas não entendo. — Quem é Richard Dent?

Ele dá a Richard Dent uma mochila e um boné do exército.

— É um soldado.

— Que tipo de soldado? — pergunto.

Jim, o garçom, chega com nossas saladas.

— Vocês querem pimenta do reino?

— Não — responde John e levanta o olhar me observando atentamente.

Faço que não com a cabeça.

O garçom desaparece.

Repito a pergunta, porque parece que travamos neste momento.

— Que tipo de soldado é Richard Dent? — pergunto. — Exército? Marinha? Guarda Costeira?

— Do tipo que morre — responde John. — Não se importando se deixou alguém apaixonada por ele em casa.

Ele acrescenta ainda uma barriga de bolota no desenho de sua mãe e faz uma cruz sobre Richard Dent.

— É do tipo de soldado que tem um filho e depois morre.

Ele faz um círculo em volta da mãe, outro em volta de Artie e depois une os dois círculos.

Subitamente entendo.

— Richard Dent é seu pai? — pergunto. — É isso que você está dizendo?

John faz que sim com a cabeça.

— Sim.

— Não Artie Shoreman — digo.

— Não Artie Shoreman.

— Sua mãe mentiu para Artie? Para fazê-lo sustentar a criança? Quero dizer, *você*?

— Sim. O truque mais velho na face da terra.

— E é por isso que você nunca chamou Artie de pai?

Empurro a cadeira para trás e me levanto, sentindo as pernas dormentes. Meu guardanapo de tecido cai no chão.

— Isto é um golpe? Usar Artie como mula, mentindo para ele todos esses anos, e agora... Agora você está tentando ganhar dinheiro de novo... Primeiro sua mãe, e agora você?

— Não — diz ele. — Eu não. Eu nunca.

Mas já me virei e saio correndo, tremendo. Sinto-me enjoada. Não sei se John está me seguindo ou não. Não consigo olhar para trás. Desvio das mesas, passo pela recepcionista confusa e, bem ao lado do aviso de *Espere para ser acomodado*, John segura meu cotovelo.

— Lucy — diz ele. — Espere.

E com um único movimento, estapeio John no rosto. Nunca dei um tapa em ninguém na minha vida e fico chocada só com o som que ele faz, com o ardor. Minha mão pulsa. Meus olhos estão embaçados de lágrimas. Sua mão solta meu braço, e eu corro na noite.

Capítulo 31

A DIFERENÇA ENTRE CAIR E SE ABRIR ÀS VEZES
É TÃO PEQUENA QUE SE TORNA IMPERCEPTÍVEL

Estou de pé na frente do meu quarto, no hotel. Não quero invadir Elspa com toda essa fúria e confusão. Tento me recompor. Pego meu espelho oval de bolso e observo minha pele manchada, a maquiagem borrada. Limpo o rímel molhado com um lenço de papel, o que só piora as coisas. Trabalho mais nos olhos. Minha mão treme — a mão com a qual estapeei John. Embora eu saiba que é errado, gostaria de ter estapeado mais gente na minha vida. Penso no rosto do meu pai quando ele saiu de casa no mês seguinte ao meu aniversário. Penso em Artie, sentado na borda da cama enrolado em uma toalha, confessando mais do que eu queria saber. Me imagino estapeando-os, o choque elétrico, a dor pulsando.

Como John Bessom pôde mentir para mim todo esse tempo? Como pôde mentir para Artie? Para Eleanor e para minha mãe? Para Elspa?

Elspa. Lembro-me que essa viagem não me diz respeito agora. Certamente não é sobre Artie sendo enganado quando era jovem, trabalhando como mensageiro e tendo tanto do seu dinheiro sugado por décadas. Essa viagem diz respeito a Elspa, e agora Rose. Esse tem que ser meu único foco.

Enfio o cartão na abertura da porta, ela destrava e a luz verde pisca. Entro e a porta se fecha atrás de mim.

Elspa não está na cama. Ela não está no banheiro.

— Elspa? — chamo inutilmente.

Sua mochila ainda está ao lado da cama, mas ela sumiu.

Há uma batida na porta.

— Elspa? — corro para atender, mas antes que eu chegue a voz de John sobe do outro lado.

— Lucy, é John. Você vai me deixar explicar?

Ele está sem fôlego também.

Faço uma pausa. Não quero ouvir explicações, mas Elspa sumiu e eu sei, bem no fundo, que algo está errado. Eu posso precisar da ajuda de John.

Abro a porta. Uma de suas faces está vermelha, e um arranhão sangra um pouco perto do olho, causado por uma das minhas unhas. Não me sinto nem um pouco culpada. Por um breve instante, ele parece aliviado por eu ter aberto a porta, mas não dura muito.

— Elspa desapareceu — digo.

— O que você quer dizer?

— Ela não está aqui!

Passo por ele em direção ao quarto da minha mãe, quatro portas adiante. Bato. Eleanor aparece e depois minha mãe, segurando um maço amarelado e molhado de papel higiênico.

— Bogie fez xixi — explica ela. — É um lugar novo. Ele estava desorientado. Coitadinho.

— Elspa está com vocês? — pergunto.

— Não — dizem ambas em uníssono.

— Será que ela não foi buscar gelo? — pergunta minha mãe.

E então as duas, ao mesmo tempo, reparam em John com a bochecha vermelha e o arranhão sob o olho.

Minha mãe dá um passo para a frente.
— O que aconteceu com você? — pergunta toda confusa.
Eleanor olha para mim com suspeita. Ainda não consigo demonstrar culpa alguma.
— Dei com a cara na porta — diz ele, afastando minha mãe com um aceno. — Estou bem — ele se vira para mim. — Eu lhe entreguei as chaves do carro no saguão do hotel — fala ele. — Elas estão no seu quarto?
Viro e corro para o quarto. As chaves não estão lá.
— Elspa foi embora — digo.

Minha mãe e Eleanor estão prontas para sair. O papel sujo de urina já foi jogado fora e Bogie, deixado no quarto. Elas pegam suas bolsas, e corremos para o elevador.
Minha mãe diz que ela e Eleanor ficarão no saguão esperando.
— Alguém sempre tem que ficar a postos nessas situações.
— Eu vou pedir para chamarem um táxi — digo, embora eu não faça ideia para onde devemos ir.
— Eu vou procurar o carro no estacionamento — fala John.
— Só para ter certeza.
Saímos correndo do elevador. John para embaixo do toldo do hotel. De lá, ele consegue ver que o carro não está onde deveria e nos comunica balançando negativamente a cabeça. A boa notícia é que há um táxi bem ali, deixando um casal que parece estar voltando de um casamento.
John conversa com o motorista do táxi, enquanto Eleanor e minha mãe aguardam em pé do lado de fora da entrada do hotel, na frente da porta de vidro automática, que abre e fecha toda vez que elas se mexem.
— Você acha que devemos chamar alguém? — pergunta minha mãe.
— Quem poderíamos chamar? — questiona John.

— Para onde vocês vão? — quer saber Eleanor. — É uma cidade grande.

— Deveríamos confiar em Elspa — acrescenta minha mãe. — Tenho certeza de que ela vai tomar as decisões certas.

John e eu nos sentamos no banco de trás do táxi, e ele pede ao motorista que vá em direção a Charles Village, a área da cidade perto do prédio incendiado. O táxi ganha velocidade e se junta ao tráfego.

John tenta encontrar meu olhar.

— Eu não sabia como lhe contar e, se você me deixar explicar, vai entender o porquê.

— Agora não — digo. — Não consigo lidar com nada disso agora.

O que há para dizer? Que ele esteve fingindo ser o filho de Artie a vida toda e mentiu para Elspa, para minha mãe, para Eleanor e para mim só para poder faturar? Não quero ouvir isso. Aprendi com as confissões de Artie que você não deve fazer perguntas demais. Traição é traição. Você não precisa de detalhes.

— Na verdade, quando encontrarmos Elspa, você pode voltar para casa.

— Voltar para casa?

— Não vai haver dinheiro. Você não é filho do Artie. E pronto.

— Isso não tem nada a ver com dinheiro — diz ele.

— Sabe o que você poderia fazer para me ajudar de verdade?

— Não.

— Quando eu acordar amanhã de manhã, seria muito bom se você não estivesse mais aqui.

— Essa é minha única opção?

Faço que sim com a cabeça.

— Por enquanto, eu quero me concentrar em Elspa, e você é uma distração. Você pode me fazer esse favor e ir embora?

Ele suspira e se recosta no banco com as mãos sobre os joelhos.

— Tudo bem, se essa é a única opção — diz ele.
— Obrigada.
John se inclina para a frente em seu assento e explica ao taxista aonde ir.
—Apenas circule por esta área — solicita ele.
— Eu não pego prostitutas drogadas — avisa o taxista, indo direto ao assunto.
— Não, nós estamos procurando uma pessoa perdida.
Perdida? Ela não está perdida. Ela não é criança. Ela nos deixou? Abandonou o plano todo? Abandonou a filha de novo, desistiu dela?
Rodamos vários quarteirões em silêncio. Meus olhos voam de um carro a outro, de uma figura imprecisa a outra, e então John pergunta:
—Aquele não é o seu carro?
É ele. Observamos o carro virar uma esquina, de volta à avenida principal que leva à rodovia. Consigo ver o contorno do cabelo espetado de Elspa. John pede ao taxista que a siga. Acabamos percorrendo o caminho de volta para o hotel. Ela para no estacionamento.
Quando o taxista freia o táxi, saio apressada, mas paro imediatamente. O que eu vou dizer? Estou brava com ela? Estou só aliviada? Quando ela se dirige à entrada do hotel, Eleanor e minha mãe, que estavam de guarda, chegam lá também.
Elspa me entrega as chaves.
— Desculpe por ter pego o carro emprestado sem pedir — diz ela, como se esta fosse a única coisa pela qual se desculpar, e atravessa a porta do hotel.
Trocamos olhares confusos e a seguimos até o elevador. Ela aperta o botão e ficamos todos esperando.
— Para onde você foi, querida? — pergunta minha mãe.
— Eu tinha que chegar perto — diz Elspa.
Eu sei que ela quer dizer que precisava chegar perto do vício para se testar, ter certeza de que está forte. Algumas vezes me

sinto assim em relação a Artie — a maior parte do tempo eu sei que não sou forte o bastante e por isso tenho que manter distância. Cada um de nós deve estar traduzindo isso à sua própria maneira. Ficamos quietos. A porta do elevador se abre, e entramos.

— Ficamos preocupados — falo a ela, embora meio envergonhada, com medo de soar maternal e repreensiva demais.

— Eu estava preocupada também — diz ela.

Saímos do elevador e a seguimos até nossa porta. Ela não consegue encontrar a chave, então esperamos um momento. Não quero que ela se livre desta tão facilmente.

Por fim, ela fala:

— Como vou conseguir convencer meus pais da ideia de que posso ser mãe, se nem eu mesma estou convencida? Não tenho como falar com eles sobre isso. Não sou forte o bastante.

Quando Elspa começa a soluçar, minha mãe a abraça. Deslizo a chave na fechadura, e entramos no quarto. John fica ali sem jeito, sem saber o que deve fazer agora. Deve ficar? Deve partir?

E fico pensando para onde meu temperamento me levou. A lugar nenhum — apenas me isolou, me fechou. Elspa é a mais forte de todos nós.

— Esqueça todas as minhas estratégias — digo, sentindo um aperto cortante na garganta. — Esqueça tudo que eu disse. Fale com o coração. Diga a eles o que você quer. Do que você tem medo. Conte tudo, honestamente. Não se feche. Sinta. Sinta tudo!

Por algum motivo me sinto furiosa. Tenho vontade de atirar a TV pela janela e revirar os móveis.

— O que adianta não sentir nada? As pessoas mentem e decepcionam você! — estou gritando agora, com os olhos fechados.

— Você descobre que o filho da puta do seu marido é um traidor em série e, como se não bastasse, logo em seguida você fica sabendo que ele vai abandoná-la, que está morrendo. E, se você não se sentir atingida por isso, então nunca vai sentir nada. Bom ou mau, nunca mais. Então, foda-se! Sinta profundamente, tudo!

235

Quando abro os olhos, descubro que devo ter escorregado pela parede do hotel porque estou sentada no carpete. Todos olham para mim, pasmos. Há um momento de silêncio.

— Ok — diz John. — Novo plano. Sentir tudo.

Isso quebra a tensão. Assoo o nariz e quase sorrio. Elspa ri de nervoso.

— Você consegue ir até lá e encará-los? — pergunto.

Elspa assente com a cabeça.

— Ok — aprova minha mãe.

— Ótimo — concorda Eleanor.

Após ter sentido tudo de uma vez — uma revolta no coração, uma procissão de sentimentos de ódio, amor e traição —, reajo.

— O novo plano.

Depois que Elspa adormece, vou até a janela, olho para as luzes agitadas do porto. Estive aqui a trabalho algumas vezes, mas só uma com Artie — um passeio de um dia, há uns dois anos. Passamos a maior parte do tempo no aquário, observando os sapos azuis venenosos e a tímida íbis escarlate. Artie discutiu política com o papagaio de cabeça amarela da Amazônia, que, apesar de seu interesse pelo meio-ambiente, era um republicano impedernido — pelo menos de acordo com Artie. O macaco pigmeu, que Artie disse ter uma semelhança incrível com seu tio Victor, levantava a cabecinha e não tirava os olhos de nós, até que chegamos à conclusão de que éramos os espécimes em exibição e ele, o observador. Depois, alugamos um barco a remo, passeamos pelo porto com nossas coxas se enlaçando e nos beijamos como adolescentes enquanto o barco acompanhava a marola.

Ligo para Artie esperando que o enfermeiro atendesse, mas é a voz de meu marido que escuto.

— Lucy? — pergunta ele.

— Você estava acordado, esperando por mim? — digo em voz baixa.

— Sim.
— Me sinto diferente — falo, sem saber como explicar.
— Diferente como?
— Estive tão errada.
E queria acrescentar: sobre muitas coisas. Penso no tapa em John Bessom, mas não posso contar a Artie as mentiras de John. O segredo não é meu.
— Como? O que está errado?
— Durante algum tempo fui pragmática demais com relação às minhas emoções, tentando não ser sentimental. Mas não funciona. Eu não consigo passar por tudo isso e continuar tentando abafar meus sentimentos. Vai acabar comigo. Eu preciso sentir intensamente tudo isso.
— Certo — diz ele. — Espere um minuto. Se seus sentimentos vão se tornar mais intensos, isso quer dizer que você vai me odiar ainda mais?
— Talvez, mas meu amor também pode ficar maior.
Há uma pausa. Ele está assimilando o que eu disse.
— Quando falei que estava desesperado, foi principalmente por sua causa. Todas as outras formas de desespero são insignificantes se comparadas ao que senti — diz ele. — E se há algo que eu possa fazer para ajudar você a me amar de novo, eu quero saber.
— Você está admitindo o fato de que magoou muitas mulheres na sua vida? É o que eu gostaria de saber.
— Não posso nunca admitir que magoei você. Que, algum dia, fui do tipo de pessoa capaz de fazer isso. Nunca vou aceitar.
Mas eu sei que os homens são mentirosos. Se por acaso eu me esqueci disso por um instante, se tive um lapso e confiei em um homem novamente, John Bessom me fez lembrar. Mesmo assim, quero acreditar em Artie. Começo a chorar, um choro silencioso. Só lágrimas escorrendo pelo rosto. E, infelizmente, eu acredito nele de certa forma. Eu sei que ele me ama, sempre me amou.

Talvez eu esteja sentindo um certo alívio, algum tipo estranho de aceitação de Artie, dos homens.

— Lembra do macaco pigmeu no aquário? — pergunto.

— Claro. Por quê?

— É que estou aqui me lembrando daquele passeio com você e do macaquinho que você achou que era seu tio.

— Acho que talvez eu possa acreditar em reencarnação — fala Artie. — Quando estamos morrendo, pensamos nessas coisas com um pouco mais de seriedade. Talvez aquele macaquinho *fosse* meu tio Victor. Eu quero voltar como seu cachorrinho de estimação.

— Eles costumam ser barulhentos.

— Eu não serei. Prometo. Serei um dos poucos chihuahuas a fazer votos de silêncio. Eu vou ser um chihuahua monástico, ou talvez mudo. E não vou fazer sexo com as pernas dos convidados do jantar.

Rio um pouco.

— Bem, agora você está fazendo promessas que sabe que não vai poder cumprir.

— Me conte algo mais. Qualquer coisa. Só quero ouvir um pouco mais a sua voz.

— Preciso ir. Isso era mesmo tudo que eu tinha a dizer, sobre sentir mais.

— Não vá. Me conte alguma coisa. Uma história. Uma história de ninar feita para um chihuahua de estimação. Invente alguma coisa.

Me lembro da letra de abertura de *The Beverly Hillbillies* — *uma história sobre um homem chamado Jed*. Subitamente sinto que perdi tanto e estou fadada a perder mais. Minha garganta dói.

— Ou uma canção de ninar — diz ele. — Também serve.

— Senti sua falta esse tempo todo — confesso.

— Isso é parte da história que você está inventando?

— Não — respondo. — É a verdade.

— Também senti sua falta esse tempo todo.
— Boa noite — digo.
— Boa noite.

Capítulo 32

OS SONHOS QUE SE TÊM ACORDADO PODEM PARECER
MENOS REAIS QUE OS SONHOS PROPRIAMENTE DITOS

Elspa e eu estamos em pé sobre a grama do jardim, enquanto Gail prende a cadeirinha no banco de trás do meu carro. Rudy segura Rose e a sacola de fraldas.

Eleanor e minha mãe não quiseram ir ao zoológico. Minha mãe me chamou de lado e disse que queria passar um tempo com Eleanor para conversar com ela sobre ser viúva.

— Eu sei o que é continuar apaixonada por um homem morto — diz minha mãe. — E ela ainda ama Artie. Vai doer horrivelmente quando ele se for.

Para determinados assuntos posso confiar em minha mãe. Ela vai fazer bem a Eleanor.

E John se foi.

Ele passou um bilhete por baixo da porta do meu quarto no hotel antes que Elspa e eu acordássemos. Estava endereçada a nós quatro. Ele explicava que tinha precisado ir embora por causa de um problema com seu trabalho. Disse que pegaria o trem e que sentia muito.

A princípio, fiquei aliviada com o bilhete, mas depois o imaginei sentado no trem, o rosto arranhado, e fiquei me perguntando que tipo de explicação ele teria para mim. Mas, realmente, não quero ouvi-la. Não mesmo. Eu sei que preciso deixar de abafar meus sentimentos. Mas só consigo lidar com uma emoção de cada vez. Não dá para evitar; estou cansada de homens mentindo para mim.

Mas, então, analiso por um ângulo diferente. Nesse caso, o mentiroso não foi o Artie. Ele foi a vítima da mentira. Foi o alvo da piada, não? Ele passou todos esses anos se aproveitando das mulheres ao mesmo tempo em que suportava a ferida de não poder ver seu único filho, que na verdade nem é seu filho. Ele pagou pelo filho de outro homem.

E por que então John Bessom passou horas tentando conhecer Artie? Foi um ato de bondade, ou ele realmente só queria o dinheiro esse tempo todo? Será que estava mentindo quando disse que sempre quis que Artie fizesse parte de sua vida? Terá sido parte do golpe, e continua sendo, tentando faturar uma última vez?

— Dentro da sacola você vai encontrar cereais e fatias de maçã descascadas para o lanche, um copinho de plástico e uma muda de roupas, para o caso de ela fazer xixi nas calças de menina crescida — diz Gail a Elspa.

Há algo de tão carinhoso e íntimo na expressão *calças de menina crescida*, que me faz sentir simpatia por Gail pela primeira vez. Então ela se afasta do carro, pega Rose e diz:

— Você está pronta para ir ao zôo com a tia Elspa e os amigos dela? Vai ser legal! Você vai ver!

E isso me faz suspirar. Por que ela precisa chamá-la de *tia Elspa*? Por que tem que dizer que vai ser bom, como se Rose tivesse passado a manhã toda ansiosa, em dúvida?

Rose é um doce. Ela sorri timidamente e se contorce para descer do colo e sentar na sua cadeirinha dentro do carro.

— Olhe para ela — diz Gail. — Tentei ensiná-la a tomar cuidado, mas ela pula dos meus braços e vai com qualquer um, em qualquer aventura, exatamente como a mãe, acho.

Obviamente Gail está provocando Elspa, mas ela parece não notar. Está tão feliz por sair com Rose, parece uma boba.
— Vamos nos encontrar no Chez Nous às seis para o jantar — continua Gail. — Não vá se atrasar.
Entramos no carro. Elspa vai atrás com Rose. Quando saímos da garagem, ela tenta acenar para a mãe, mas Gail já virou as costas e está caminhando de volta para casa.

O dia está brilhante e claro. Desde os tempos de criança, nunca mais fui a um zoológico. Elspa amarra um balão no pulso de Rose, e elas passeiam perto dos pinguins. Na frente da jaula dos leões, eu e Elspa nos agachamos com Rose para olhar as formigas. Comemos amendoim. Rose faz xixi nas calças perto das girafas. E mãe e filha — agora vestindo um novo par de calças — caminham apontando para os pássaros.

Começo a ficar para trás. Paro algum tempo observando as lhamas e acabo me sentindo culpada em relação a John — não pelo tapa, mas por ele estar perdendo isso aqui. Ele estava envolvido com essa viagem, não estava? Em certa medida estava. E todas aquelas horas gastas com Artie — o suave ruído das palavras murmuradas? Aquilo tudo era falso? Foi ele quem tirou Eleanor do casulo, fazendo perguntas sobre sua conexão com Artie. Lembro-me do jeito dele ao ouvir todas as histórias sobre mim e Artie e daquele momento em que ele encontrou o garoto perdido no coração gigante. Foi tudo representação? Será possível?

Rose vem cambaleando em minha direção. Elspa corre atrás dela, a pega no colo e a faz rir. Então ela a põe no chão outra vez. O sol já está se pondo. A menina se distancia alguns passos e para entretida com o balão preso no pulso. A mãe só consegue dizer:
— Se for preciso, eu posso ser feliz com isso. Talvez seja tudo que eu vá conseguir, momentos como este espalhados aqui e ali.

E isso me faz lembrar de Artie, tudo que me restou com ele foram momentos espalhados aqui e ali. Estou pronta para ir para casa.

Rose chega até Elspa com andar desajeitado e pede:
— Me levanta!
Elspa ergue a menina, apertando-a contra o peito, e as duas vão se sentar em um banco. Elspa pega a sacola com os cereais, dá de comer à menina, e a criança dá de comer a Elspa.

Assim que paramos no estacionamento do Chez Nous, uma Mercedes pisca os faróis para nós.
— É o carro deles — diz Elspa numa voz sussurrada.
Rose está dormindo em sua cadeirinha, a cabeça pendendo para o lado. Permanecemos em silêncio, inquietas.
De repente, estou cheia de medos. E se tivermos problemas? Se ela não conseguir ir em frente? E se tudo acontecer sem percalços? Será que pensei de verdade em como vai ser a vida com Rose? Estou preparada para encarar? E Elspa? Será realmente capaz de ser uma boa mãe, não apenas no zoológico em um dia de sol, mas todos os dias, na pressão das dificuldades diárias de criar uma família?
A Mercedes para ao nosso lado. A janela abaixa com um zumbido. É Rudy. Gail é uma figura apagada no banco do passageiro, completamente imóvel.
— Boa noite, gente! — diz Rudy. — Como foi?
— O que há de errado? — pergunta Elspa, sentindo algo que não consigo perceber.
— Vamos ter de cancelar o jantar. Sua mãe está com uma daquelas dores de cabeça.
Gail olha para nós com os dois dedos pressionando as têmporas, como se isso provasse alguma coisa.
Rudy sai do carro, deixando o motor ligado.
— O quê? — pergunta Elspa.
Ele abre a porta de trás do carro.

— Ela está dormindo — adverte Elspa. — Ela não pode passar a noite comigo hoje? Para que mexer com ela agora e depois outra vez quando vocês chegarem em casa?

Dou uma tossidinha, esperando dar a entender a Eslpa que nosso objetivo vai além de uma noite aqui apenas.

— Rose está dormindo agora? — pergunta Gail, consternada. E sai do carro, chegando mais perto para ver com os próprios olhos. — Isso vai atrapalhar completamente os horários de sono dela.

— Preciso conversar com vocês dois — diz Elspa.

— Podemos falar amanhã — responde o pai. — Vamos colocar essa garotinha na cama em casa. Coitadinha.

Elspa olha para mim com os olhos arregalados e tomados pelo pânico.

Seguro o seu braço, querendo acalmá-la.

— Não desista agora — sussurro para ela. — Vá em frente.

Ela olha para mim por um instante e depois concorda com a cabeça; em seguida sai do carro e fica parada em pé com Gail e Rudy, formando um triângulo entre os carros.

— Preciso conversar agora.

Abaixo o olhar em direção às minhas mãos no colo, querendo dar privacidade a Elspa, mas, de vez em quando, dou uma olhada de relance para cima. Quero estar presente também, quero apoiá-la.

— Temos que levá-la para casa — diz Gail.

— Eu sou a mãe dela. A casa dela é comigo.

Gail se vira para Rudy.

— Eu lhe disse que ela iria tentar algo assim!

— Não faça isso — diz Rudy a Elspa.

Elspa parece forte e corajosa. Suas costas estão eretas.

— Vocês querem que eu finja não ser a mãe dela? Tia Elspa? Quem inventou isso?

— Não vamos baixar o nível — fala Gail.

— Vou voltar amanhã e Rose vem comigo — anuncia Elspa.

— Você não tem condições, Elspa — diz Gail, ansiosa. — Já resolvemos isso. Fomos forçados!

— Agora eu posso lidar com tudo. Eu mudei. Recomecei do zero.

— Deixe-me ser clara — adverte Gail, inclinando-se para a frente. — Não vou lhe entregar esta criança. Eu não vou deixar que um fracasso se transforme em dois.

— Eu sou um fracasso? — exclama Elspa. — É isso que você pensa de mim?

— É evidente que você é incapaz de criar uma criança — diz Gail. — Passamos por aconselhamento. Sabemos que desdobramentos desastrosos essa situação pode ter.

Rudy toca o braço da esposa.

— Gail — diz ele, — não.

— Não me toque, Rudy! — grita a mulher. — Eu sei o que estou fazendo! Ela não vai levar esta criança!

Elspa estende a mão, apoiando-se no teto do carro, e, antes que eu perceba, já estou fora do veículo e me meto na discussão:

— A questão aqui são os direitos de Elspa e não o que vocês pensam sobre ela. Vocês não têm a custódia da menina e se tentarem colocar a mão neste carro e levar Rose com vocês, será um sequestro.

— Não me ameace — reage Gail.

— Vamos manter o controle — pede Rudy, tentando sorrir enquanto olha nervosamente para cada uma de nós.

— Eu preciso desta menininha na minha vida — diz Elspa, agora com mais moderação, parecendo se lembrar do novo plano, não abafar os sentimentos. — Eu preciso tanto dela quanto ela precisa de mim. Tenho medo; claro que tenho medo, mas estou indo bem e agora quero uma razão para me tornar uma pessoa melhor. Essa razão é Rose, porque esta pessoa é a mãe de Rose. Todos os dias — ela faz um pausa. Estão todos em silêncio. — Não vou fazer como vocês fizeram. Tudo perfeito. Eu vou cometer erros. Mas eles serão meus erros. Vocês têm que me permitir isso.

Gail congela, parece pálida, se agarra ao ombro de Rudy e olha em volta do estacionamento de olhos arregalados.

— Eu tentei proporcionar a meus filhos uma infância perfeita — diz ela. — Mas, no final, falhei com você.

— Não falhou não — rebate Elspa.

— Por que você sempre discorda de mim em tudo? Eu falhei com você — insiste Gail.

Seus olhos se enchem de água.

Elspa dá um passo em direção à mãe para lhe dar um abraço, mas Gail levanta a mão para detê-la.

— Não — recusa Gail. — Não posso fazer isso — ela se vira para Rudy. — Então, aqui está. Você disse que algum dia isso ia acontecer, que um dia eu teria que deixá-la partir, e você estava certo. Era isso que você queria ouvir? — ela começa a caminhar de volta para o carro. — Que seja um afastamento por completo, tanto quanto possível.

— Não precisamos ser radicais — diz Elspa. — Temos que fazer como tem que ser. Não espero uma separação drástica.

Gail para e diz:

— Estou lhe oferecendo tudo que posso.

Depois entra no carro e bate a porta.

Rudy fica de pé ali olhando para Elspa. Por um momento, parece atônito e então começa a chorar. Ele esfrega os olhos, tenta se controlar, mas não consegue. Vira de costas e dá para perceber que ele está soluçando. Quando se volta para Elspa outra vez, toca o cabelo da filha e beija gentilmente sua face.

— Há muito tempo espero por este momento. Eu sabia que você viria buscá-la quando estivesse pronta. Sempre disse isso.

— Você disse? — pergunta ela timidamente.

Ele faz que sim com a cabeça.

— Deixe que resolvo as coisas com a sua mãe — e ele chora novamente, depois pigarreia. — Precisamos ver a Rose sempre. Ela é nossa garotinha também. Nós a amamos.

— Eu sei — diz Elspa. — Nunca vou poder retribuir a vocês. Ela precisa dos avós. Eu sei disso. Vamos visitar vocês muitas vezes. Diga à mamãe que isso não é um final. Diga a ela que pode ser o começo de um novo relacionamento. Que pode ser bom.

Os olhos dele estão molhados e, quando sorri, as lágrimas escorrem por suas faces. Então, ele se vira e volta para o carro, levando ainda alguns minutos para partir.

Elspa e eu ficamos ali por um momento.

— Você conseguiu — digo a ela. — Você foi incrível.

— Acho que fui — admite um pouco atordoada.

E então nós nos viramos e observamos Rose, ainda dormindo profundamente.

Mais tarde, no quarto do hotel, Elspa tira os sapatos da filha adormecida e a coloca na cama. Chamo minha mãe, com Bogie a tiracolo, e Eleanor para vê-las.

— Não acredito que ela está aqui — sussurro.

— Vocês realmente conseguiram — diz Eleanor. — Vocês conseguiram mesmo.

Minha mãe sorri com serenidade.

— Ela é de tirar o fôlego.

Me sento na cama, sentindo o peso do cansaço. O dia foi tão intenso e imprevisível. E não sei por que razão, talvez por minhas defesas estarem baixas agora, ou talvez porque pareça certo ser completamente honesta, mas me pego dizendo:

— John não é filho de Artie — sem me dar conta de que ia falar.

Os olhos de Elspa se arregalam, e ela sorri.

— Então ele veio nessa viagem porque está apaixonado por você.

Não sei por que ela faria uma conexão tão estranha.

— Ele mentiu para mim, Elspa. Para todas nós.

— Sim, mas ele fez isso porque está apaixonado por você.
— Isso é ridículo — protesto. — Não, não.
Volto-me para Eleanor e para minha mãe buscando apoio, mas elas se limitam a me olhar, balançando a cabeça e sorrindo um pouco.
— Vocês estão brincando comigo? Vocês concordam com ela?
— Hmmmmm — diz Eleanor. — Eu concordo.
— Ela está certa, querida — reforça minha mãe. — E ele foi embora por sua causa. Foi você que lhe deu aquele arranhão?
— Eu não tenho que responder isso — protesto.
Até Bogie parece me olhar com suspeita.
Elspa dá de ombros.
— É a única coisa que realmente faz sentido. É pura lógica — ela afasta da testa de Rose a franja molhada de suor. — Você gosta dele também?
— Não — respondo. — Ele é um mentiroso. E não me ama.
Fico atônita porque não tenho certeza se estou dizendo a verdade. Será que ele poderia me amar? Eu o amo também? Claro que não. Quero continuar e dizer "Ele é filho de Artie, como eu poderia me apaixonar por ele?". Mas isso não é verdade. Nunca foi.
— Eu quero curtir *este* momento — digo, apontando para Rose na cama. Ela parece um anjo. — Olhe só!
Elspa cobre a menina e se encolhe ao lado dela, sobre as cobertas, com o rosto voltado para a criança.
— Não acredito que ela é minha — diz Elspa e observa sua filha dormindo.
Ela corre os dedos pelo rosto de Rose esculpindo o semblante de sua garotinha.

Capítulo 33

E ÀS VEZES VOCÊ CONSEGUE
SE REENCONTRAR POR COMPLETO

Tomamos o rumo de casa depois do café da manhã no hotel, em uma viagem que acabou sendo mais melada e grudenta com Rose a bordo. Ela se delicia com a comida, não apenas com o sabor, mas também com a textura esponjosa da torrada, os ovos borrachudos, o bacon gorduroso.

No carro, Elspa mantém Rose distraída no banco de trás lendo, cantando, inventando jogos com os dedos e barbantes. Bogie também é usado como distração. E a menina parece gostar de imitar o jeito do cão de arfar, é como se eles estivessem desenvolvendo sua própria comunicação criança-cachorro — tantos arfares querem dizer sim, outros tantos significam não. Sei que Rose vai trazer o tipo de leveza e diversão de que vamos precisar para enfrentar a próxima fase com Artie. Ela vai nos ajudar a passar por isso.

Chegamos em casa em duas horas — viemos direto, sem trânsito. Entro rapidamente.

Um dos enfermeiros de Artie acena para mim da cozinha.

— Ele está com uma visita — diz.

Não consigo imaginar quem seja. Uma das queridinhas? Decido pedir que ela vá embora, pois tenho que falar com Artie em particular.

— Obrigada — digo e vou direto para o andar de cima.

Sei que eu poderia criar desculpas para o sumiço de John Bessom, mas decidi que tenho que contar a Artie tudo que sei. Ele iria gostar de saber, mesmo que o magoe. Mas não sei como ele vai receber tudo isso.

A porta de Artie está fechada. Bato levemente e depois abro uma fresta. Ele está sentado na cama. Parece mais magro, e acabo percebendo que, sempre que me afasto dele, preservo na memória uma imagem do meu marido que me recuso a atualizar — um Artie mais saudável e robusto, não completamente bem, mas muito melhor, uma versão dele em processo de recuperação. Então é um pouco chocante percebê-lo tão acabado, pálido e pequeno. Os tubos de oxigênio continuam no lugar — eu os tinha apagado da mente.

— Eu já sei de toda a história agora — diz ele.

— Que história? — pergunto, imaginando como as notícias chegaram até ele antes de mim.

— Você tem que ouvi-lo — diz Artie.

— Quem? — pergunto.

Abro a porta por completo e lá está John Bessom sentado em uma cadeira ao lado da janela. Ele parece exausto, como se não tivesse dormido. Seus olhos estão cansados. O arranhão em sua face ainda está lá, mais vivo que nunca.

— O que você está fazendo aqui? — quero saber.

— Abrindo o jogo — responde ele.

— O quê? — pergunto.

— Agora eu é que vou dizer o que vai acontecer aqui. Você, Lucy, vai se sentar na poltrona — determina Artie, — e o garoto vai falar enquanto você ouve. É isso. Ponto. Você entendeu?

— Mas...

— Não — contesta Artie. — Você vai se sentar e o garoto vai falar.

Vagarosamente vou até a poltrona e me sento.

— Prossiga — diz Artie.

John pigarreia. Ele está nervoso, brincando com a ponta da cortina.

— Quando criança, eu sempre achei que Artie fosse meu pai — diz John. — Minha mãe dizia que ele morava longe e não podia nos visitar porque era um homem muito ocupado e importante.

— Eu *sou* extremamente importante — interrompe Artie, brincando.

Ele ainda está tentando desarmar a situação. Sei que devo estar parecendo confusa e um tanto surpresa.

— Essa parte era verdade.

— Quando eu tinha uns doze anos, encontrei dentro de um baú alguns envelopes antigos dos cheques mensais de Artie e descobri, pelo endereço do remetente, que ele não morava muito longe. Então passei aquele verão espionando-o. Sempre que podia, eu pegava o ônibus até o bairro dele e me escondia nos arbustos do vizinho para observá-lo cortando a grama, conversando com os vizinhos, fazendo churrasco. Eu tinha até um caderno, no qual tomava nota de tudo que ele fazia e tudo que eu conseguia ouvi-lo dizer. Depois eu ia para casa e ensaiava dizer as coisas que ele dizia e andar como ele andava.

Tento imaginar John Bessom como um garoto de doze anos, agachado nos arbustos de alguém, passando o verão tentando imitar o comportamento de Artie. Mesmo sem querer, neste momento, tenho que admitir essa doçura em John. Ele olha para Artie e continua:

— Porém, eu não sabia que ele também estava me espionando, aqui e ali, esses anos todos.

Artie concorda:

— Eu estava.
John então prossegue:
— Mas era difícil também. Eu o via entrando e saindo daquela casa com uma sucessão de mulheres.
Olho para Artie e ele dá de ombros, embarassado.
— Eu estava inconsolável por ele não querer ficar comigo e com a minha mãe. Eu o admirava loucamente. No final, minha mãe descobriu aonde eu estava indo e me contou, sem rodeios, que ele não era meu pai, que meu pai tinha morrido. "Pare de espionar o coitado!", disse ela. "Ele é só um desconhecido".

John parece estar revivendo aquele momento em sua mente, e eu sinto um certo ódio de Rita Bessom, não só por ter dado um golpe em Artie, o que foi cruel mesmo tendo sido, no final das contas, uma boa lição, uma forma de compensação, mas porque ela arrancou Artie da vida do menino.

Olho para Artie e de volta para John. Não sei como reagir. Isso não melhora as coisas. John Bessom foi um cúmplice todos esses anos e, pior de tudo, ele mentiu para Artie em seu leito de morte.

— Sinto muito por isso — digo. — Mas, apesar de tudo, você mentiu para mim. Você mentiu para o Artie todas essas tardes aqui. Só para receber o dinheiro dele.

— Nunca fiz isso pelo dinheiro — reage John. — Eu tinha dois motivos.

Ele olha para Artie como se pedisse permissão e este assente com a cabeça:

— Continue.

— Primeiro — diz John, — eu nunca tive um pai, então, por que não Artie? Por que não receber alguns conselhos, neste momento horrível da minha vida? Nunca tive alguém que me desse conselhos, conselhos de pai, em toda minha vida.

Então ele para.

Artie sorri para ele.

— Eu nunca tive um filho, no final das contas. Não de verdade — fala meu marido. — Então por que não agora, neste momento horrível da *minha* vida?
— Então decidimos — continua John.
— Fizemos um pacto — acrescenta Artie. — Ele é meu filho.
— E ele é meu pai.
Há algo triste nisso, mas tão triste que é terno. Percebo que John finalmente falou, finalmente chamou Artie de pai. Eu não esperava que as coisas tomassem esse rumo — descobrir que Artie não é pai dele e depois que ele de outra maneira o é. Levo algum tempo para assimilar tudo isso. Era o que eu estava querendo — um momento como este — para Artie e John.

Olho ao redor do quarto, meus olhos se movimentam rapidamente pelos vidros de remédios de Artie, a moldura quebrada com a nossa foto em Martha's Vineyard, o tanque de oxigênio em um canto ainda fazendo barulho. Quero saber, também, qual a segunda razão. Quero saber se Elspa estava certa. Será que ele confessaria isso na frente de Artie?

— Qual o segundo motivo? — pergunto.
— O segundo é mais complicado. Vim aqui e contei a ele a história toda, e esta é a verdade.

Ele olha para Artie mais uma vez pedindo aprovação e então, com as palavras escapando rapidamente de sua boca, diz:
— Eu me apaixonei por você.

Meu peito se aperta. Olho para Artie e vejo que ele não está bravo, mas há uma certa angústia em seu rosto, uma leve contorção. Percebo que ele atingiu um novo marco na aceitação de sua morte e compreendeu que não pode impedir minha vida de seguir seu rumo, apesar de essa compreensão causar-lhe uma certa dor.

— Me senti atraído por você logo na primeira vez, quando você me encontrou dormindo na loja, mas depois, durante a excursão, fui me apaixonando por você — diz John.

— Não — refuto e fecho os olhos.
— Sim — afirma ele.
Balanço a cabeça.
— Não consigo dizer quando os homens estão mentindo ou quando estão falando a verdade.
— Isso é em parte culpa minha — assume Artie.
— Eu ajudei também — acrescenta John.
— E você queria o dinheiro? — pergunto.
— Eu não quero o dinheiro — declara ele, e depois sua expressão se contrai. — Eu preciso do dinheiro. Estaria mentindo se não admitisse isso. Mas não estou aqui por causa dele.
— Você deveria aceitar o dinheiro — digo, ficando tensa. — Eu lhe darei todo o dinheiro daquele velho fundo que Artie tinha reservado para você. Você vai ficar bem.
— Eu não quero ficar bem. Isso não seria seguir o novo plano. Não devo abafar meus sentimentos.
— Artie — falo. — Artie, o que você quer que eu diga aqui?
— Nada — responde ele. — Ele não está lhe pedindo nada.
John olha para mim atentamente com seus olhos cansados.
— Não estou lhe pedindo nada. Não consigo explicar — diz John. — É como se você tivesse me acordado de um sonho, e eu não sabia que você era o sonho que eu estava sonhando.
Fico sentada por um momento. Ninguém se move. Estou tentando sentir tudo isso — essa forma de amor. Primeiro, com um nó no peito, eu o reprimo, mas não funciona. O nó se desfaz e lá está ele de novo, solto, livre. Sinto-me como se tivesse reencontrado uma parte essencial de mim mesma — o amor. Eu posso vir a amar John Bessom. Será que eu posso me permitir sentir tanto novamente?
— Artie — digo. — E você? O que eu posso fazer?
— Eu também não estou lhe pedindo nada.
Agora que sinto amor — ou algo próximo disso — por John, percebo que consigo respirar de novo. Eu sei que posso transfe-

rir esse amor para Artie. Precisamos nos amar um ao outro novamente, com tudo que o amor traz — mesmo as coisas difíceis, como perdão e aceitação. Acho que não faz sentido, que um amor possa trazer um outro amor de volta, mas é verdade.

Capítulo 34

UMA FAMÍLIA PODE ESTAR UNIDA POR UM
CONJUNTO IMPROVÁVEL DE LAÇOS

Eis o caos inacreditável e glorioso de se ter uma criança de três anos em casa. A geladeira está enfeitada com desenhos de giz de cera; os balcões, melados de suco; o sofá da sala, coberto de papoulas, virou o campo para um rebanho de pôneis com crina cor-de-rosa. Há um piniquinho no banheiro do andar de baixo e uma escadinha dobrada sob a pia; além de brinquedos que cantam e piscam, aparentemente sozinhos. Bogie aprendeu a se esconder debaixo do sofá, em um canto distante, e a implorar ao pé da escada para que alguém o carregue para cima. O quarto de hóspedes virou um quarto de menininha, com uma cama de baldaquino da Butique Bom Sono Bessom e temática de rãs — ideia da própria Rose. Os lençóis são de rã, assim como a luminária, e há até rãs de pelúcia, que, no final das contas, ficam bem com os pôneis de crina cor-de-rosa. E lá está Rose no meio de tudo — gorjeando, cantando, dançando, pisoteando, fazendo bico, dando risada, gritando. Ela é essa criatura tão autêntica, tão completamente viva.

E, ao mesmo tempo, um homem está morrendo em um quarto no andar de cima.

À medida que Artie vai ficando mais fraco nos dias que se seguem, ficamos todos ali com ele, cuidando dos menores detalhes, na tentativa de fazê-lo se sentir mais confortável — esfriando seus pulsos com toalhas úmidas, afofando os travesseiros, dando-lhe lascas de gelo para tomar. O tanque de oxigênio torna o quarto mais quente, então aumentamos o ar condicionado.

John Bessom e eu trabalhamos juntos com um objetivo comum. O que foi dito naquele quarto, entre nós três, não vai parar ali. Ainda existe. Mas o amor que vem de todas as fontes e reservas dentro de nós neste momento está sendo entregue a Artie. Não sobra nada. Não agora. Ainda não.

Mesmo assim, às vezes me pego pensando em como seria uma vida com John Bessom — da mesma forma como um dia pensei como seria a minha vida com Artie. Agora não sou mais tão ingênua para considerar apenas as coisas boas: férias na praia e festas de aniversário de nossos filhos. Imagino as muitas possibilidades diferentes. O começo, quando acordei John pela primeira vez, no momento em que ele dormia sobre um mostruário de colchão, depois o meio, que pode incluir praias e aniversários, e penso no fim, também. Há uma emoção tão feroz em um final — ou pelo menos no de Artie — que o fim acaba mostrando uma beleza exuberante no meio de toda a tristeza e perda. Quando penso em uma vida com John Bessom, Artie ainda existe. Ele é o mecanismo intrincado que tornou possível esse futuro. Em um momento, meu coração se sente como se tivesse sido arrancado de mim e, no outro, ele se inunda de amor — tanto amor que é uma enxurrada incontrolável, um maremoto.

Ainda gosto do turno da noite. Canto para Artie todas as canções de ninar que conheço e, quando elas acabam, canto músicas da Joan Jett com uma voz suave e musical.

Cada um desses últimos dias é um tipo de eulogia e tenho que agradecer a John por eles. Conto a Artie a história do pássaro nas persianas da pensão de nosso amigo. Falo sobre o momento em que ele me propôs casamento, com as canoas deslizando pelo rio Schuylkill, e sobre o macaco pigmeu no aquário. Falo sobre nossa oração na velha igreja em Edgartown por um futuro juntos. E, às vezes, quando ele está cansado demais para ouvir histórias, seguro suas mãos e rezo. E, quando o faço, sempre peço abundância — não de dinheiro, mas de um tipo de felicidade.

Logo, paro de rezar pedindo por mais tempo. Não vai haver mais tempo.

Artie me pergunta se minha mãe tem algum ditado sobre a alma que ela nunca tenha bordado em um travesseiro.

Ouço Rose no andar de baixo conversando com a televisão, um programa da TV aberta sobre gatos.

— Acho que não — respondo.

Ele está tendo cada vez mais dificuldade para falar. Projetar a voz requer um grande esforço, então ele sussurra.

— Uma alma nunca deve ser maior que uma bolsa? — pergunta ele, olhando para Bogie adormecido ao pé da cama.

— Nunca deixe sua alma sucumbir à gravidade? — digo. — Você não vai querer aparecer no céu com uma alma flácida.

Quero saber se Artie aprendeu algo — sobre si mesmo ou sobre sua alma. Sinto que passei por um furacão de mudanças, mas foi ele quem enfrentou as maiores.

— E então? — indago. — Vai querer?

— Querer o quê?

— Aparecer no céu com uma alma flácida?

— Minha alma parece gorda neste corpo?

Isso deveria ser engraçado, mas não há nada de gordo em Artie no momento. Ele está esquelético. Os ossos de sua face se projetam como picos agudos. Lá embaixo, ouço Rose batendo palmas e depois Elspa cantando junto com o programa de gatos.

— Acho que eu quero saber, sei lá. Quero saber se você aprendeu algo.

Neste momento, Eleanor entra no quarto. Ela está segurando uma bandeja de comida que Artie vai apenas beliscar.

— Eu também gostaria de saber a resposta a essa pergunta — diz a recém-chegada. — Se você não se incomodar.

— *Você* aprendeu alguma coisa? — pergunta ele a Eleanor.

Ela apoia a bandeja, que balança um pouco contra a madeira da mesa de cabeceira.

— Não estou aqui para aprender. Estou aqui para lhe *ensinar*.

— É mesmo? — contesta Artie. — Você está perdendo seu tempo, então.

— Escute, é você quem...

— O que você quer de mim, Eleanor?

Levanto-me para sair.

— Eu preciso...

— Não, tudo bem, Lucy — diz Eleanor. — Eu sei o que eu quero. Quero que o mundo seja diferente. Que os homens sejam mais gentis. Eu quero sinceridade, honestidade. Quero poder acreditar nas pessoas. Um pouco de confiança não faria mal.

— Bem — diz Artie sem rodeios, — eu amo você, Eleanor.

— Não seja cretino — retruca a mulher.

— Eu amo você, Eleanor — diz Artie novamente, esforçando-se para falar alto.

— Cale a boca — protesta ela.

— Eu amo você, Eleanor — insiste ele.

E então eu também digo, embalada pelo momento:

— Eu amo você, Eleanor.

Ela olha para nós dois, horrorizada.

— O que vocês estão fazendo?

Eu não sei exatamente o que responder, mas por sorte Artie sabe.

— Dando a você uma chance de acreditar nas pessoas novamente, querendo ou não — fala ele.

E, agora que sei exatamente o que ele pensa, completo:

— Não há muito a ser feito em relação ao mundo e aos homens e à falta geral de sinceridade e confiança. Mas a última coisa que você mencionou...

— Isso é idiotice — me interrompe ela e se vira caminhando com as pernas rígidas em direção à porta. Então, para e bate no batente com o punho.

— Malditos, eu também amo vocês dois. Tudo bem então? Ótimo.

E sai do quarto.

— Isso foi bem sincero — comento.

Artie concorda.

No meio de uma certa noite, Artie acorda assustado. Sua respiração está tão difícil agora, o ar é expelido com a ajuda do estômago. Ele está sob uma pesada dose de morfina para aliviar a dor aguda no peito. O tanque de oxigênio no canto aquece o ar e por isso mantive a janela aberta, a pedido do próprio Artie. Assim, a umidade parece se espalhar pelo quarto como uma neblina pairando. Estou só aqui, sentada na borda da cama. Não consegui dormir. Estou sentada na mesma borda onde, certa vez, Artie se sentou enrolado em uma toalha, com o cabelo cheio de xampu, e se declarou para mim.

Os enfermeiros assumiram o controle. Eles dão as injeções de morfina e verificam as pílulas. Mas fazem muito mais que isso. Eles são, talvez, a mais bela forma de ser humano que já conheci. Disseram para mim que não vai demorar muito agora.

Em meio a uma respiração arfante, Artie diz:

— Escute — ele estende a mão e eu a seguro. — Temo que... — seus olhos se enchem de lágrimas — ... eu pudesse apenas partir seu coração novamente.

Percebo que eu sei disso, que talvez eu já soubesse há muito tempo. Ele teria me traído de novo. Há algo no interior dele em que ele nunca poderia realmente confiar. Será que eu queria mesmo alguma grande mudança aqui, no fim da vida de Artie? Uma que nunca seria colocada a prova pelas tentações do mundo real? Era por isso que eu estava esperando?

Não. Artie chegou à verdade sobre si mesmo e me fez uma confissão valiosa — que ele teme que pudesse apenas partir meu coração novamente se continuasse vivendo. Eu prefiro a verdade.

— Eu sei — digo. — Não importa agora.
Ele diz meu nome.
— Lucy.
E eu o dele.
É tão silencioso e simples como uma troca de juras.
E então ele fecha os olhos. E se foi.

Deixei o funeral totalmente a cargo de minha mãe, e ela fez tudo da forma que um funeral deve ser, claro. Ela conhece funerais, escolheu as flores certas, primorosamente colocadas, a urna — Artie pediu para ser cremado — e a foto dele na praia, bronzeado pelo sol, com o cabelo jogado ao vento. Mesmo assim, tudo me parece muito surreal. Artie se foi. Eu entendo isso. Aceitei, mais ou menos — minha aceitação vem em ondas. Mas o funeral parece estranho, como se devesse ser reservado apenas para aqueles que morrem de verdade. Mas Artie nunca vai estar realmente morto — não para mim.

E como prova viva de que ele continua vivo, aqui estão suas queridinhas. Elas vêm chegando lentamente a princípio, uma após a outra, misturando-se aos colegas de negócios da rede de restaurantes italianos. Mas depois elas começam a chegar em maior número. Uma multidão se juntou, e agora só tem lugar em pé.

Eis aqui Marzie, vestida com um terno simples e segurando o capacete da moto. Ela está com uma mulher da mesma idade, de cabelos longos e esvoaçantes, e as duas se dão as mãos em um dos bancos da igreja. A atriz de cabelos vermelhos, que foi uma freira em uma produção de *A Noviça Rebelde* realizada pelo Sindicato dos Atores, chora dramaticamente, apoiando-se nos braços da cadeira. A sra. Dutton, uma antiga professora de álgebra de Artie, também está presente, de braços dados com um marido idoso e de cara feia — sr. Dutton, presumo — e que traz uma flor amassada na lapela. A mãe e a filha que foram pegas de surpresa ao se encontrarem em minha sala de estar chegaram separadas e estão sentadas em lados opostos da sala. Está aqui também a morena de sorriso irônico do primeiro dia, sentada ao lado do sempre tenso Bill Reyer. Ela o observa com o canto do olho.

Springbird Melanowski. Fico esperando a chegada dela, mas ela não aparece, nem para observar escondida lá no fundo. Por algum motivo, sinto que isso me decepcionou.

E há muitas mulheres que não reconheço — velhas e jovens, altas e baixas, de várias raças e nacionalidades. Na verdade, a terceira fileira parece uma reunião de mulheres das Nações Unidas. Nunca pensei que ficaria feliz de ver um enxame de queridinhas de Artie, mas estou. Fico feliz por elas estarem aqui, cada uma trazendo uma porção de amor (e um certo arrependimento compreensível, e até mesmo algum ressentimento justificável; Artie merece essas também).

E, claro, as queridinhas de Artie que se tornaram minhas queridinhas também: Elspa, usando um vestido solto de linho preto que deixa suas tatuagens à mostra; Eleanor, sentada com uma formalidade adequada, embora seus olhos estejam borrados de rímel; e o filho escolhido por Artie, John Bessom, que encontrou seu pai e agora está sofrendo, mas um tipo bom de sofrimento, aquele que só sente quem realmente amou alguém. Ele está sentado ao meu lado, e às vezes meu cotovelo encosta no dele. Ele tem sido fiel e paciente e, como todos nós, está abalado pelo que acontece no momento. Todas essas pessoas queridas estão sentadas ao meu lado e de minha mãe na primeira fileira. Mas sei que John está esperando uma resposta minha, alguma coisa que indique para onde pende meu coração. Estou esperando, também.

E tem a Rose, com seus sapatos brilhantes — ela está sentada no colo de Elspa, escovando as costas de uma rã de pelúcia com uma escova de plástico da Barbie. Adoro suas mãozinhas macias, com covinhas, e o jeito como ela segura gentilmente a rã e algumas vezes sussurra algo, como que pedindo desculpas pelos cabelos embaraçados.

Lindsay também está aqui. Ela chegou atrasada e se sentou lá no fundo, mas encontra meu olhar. Está usando um *blazer* que lhe cai muito bem, como se, finalmente, ela tivesse mandado fazer um sob medida. Ela parece adulta, mais alta até, e é maravilhoso vê-la — é como ver uma parte de mim mesma que não quero perder.

Pois este é o funeral de Artie — os vestidos pretos, as flores e uma urna — e tudo vai bem, até o agente funerário começar um discurso fúnebre medíocre. Ele tem um tufo de cabelo no topo da cabeça, formando um rodamoinho como uma rosca de canela e fala sobre viver a vida ao máximo, sobre Artie, que ele não conheceu, mas admira por causa do *legado de amor* que deixou.

É um monte de bobagem, claro. Olho para trás e vejo a sala cheia de queridinhas — e alguns homens de negócios — e ninguém está engolindo o que esse cara fala. Todos olham enviesado para o agente e cochicham entre si. Muitos fuzilam o homem com o olhar. Artie era Artie. Eles vieram para ouvir algo honesto e verdadeiro.

Minha mãe me dá um tapinha no joelho e sorri com tristeza, de um jeito que quer dizer "Você deveria sorrir com tristeza também, querida. Faça como eu". Mas não é culpa dela. Ela está tentando me guiar no mundo da melhor maneira que pode. Só que está tentando me guiar pelo mundo que *ela* conhece. E esse mundo é estranho para mim.

Neste momento, John se encosta em mim, ombro a ombro.

— O que precisamos é de um bar irlandês — diz ele.

E tem razão, claro. Por que não pensei nisso antes? Essa coisa toda não tem nada a ver com Artie. Não mesmo.

Depois que o agente termina seu discurso monótono, dou um cutucão em John.
— Convide todo mundo para aquele *pub* irlandês — falo.
— Agora?
Faço que sim com a cabeça.

O problema é que não sei como começar um velório. Não tenho a ordem do dia para distribuir, nem tabelas, gráficos, apresentações em Power Point. As queridinhas estão aqui. Longe do ar de igreja da funerária, elas fazem barulho agora, pedindo bebidas, conversando entre si, com o *barman* e com os homens que aqui vieram passar a tarde assistindo jogo de basquete na TV pendurada no teto.

Eleanor, minha mãe, John e eu estamos sentados a uma mesa com Rose, que desenha com os gizes de cera que John conseguiu com a garçonete. Elspa não está. Quando chegamos, ela disse:
— Eu esqueci uma coisa. Tenho que ir pegá-la. Vocês podem cuidar de Rose?
— Tudo bem? — perguntou Eleanor.
— Tudo bem, só esqueci algo importante. Não sabia que o dia ia terminar assim — ela sorriu.

Dissemos que fosse sossegada, que Rose estaria bem conosco. E então ela disparou pela porta. Observei-a pela janela correndo pela rua para chegar ao carro. Não sei o que ela esqueceu, mas ela está certa: o dia tomou um rumo inesperado, e o funeral de Artie virou outra coisa.

— Isso é mais adequado — diz John, tirando o paletó e afrouxando a gravata. Ele parece cansado — essas semanas foram difíceis para todos nós — e amarrotado, não muito diferente da primeira vez em que o vi. Quando percebo, estou desenhando em uma das folhas de papel de Rose com um de seus gizes de cera que peguei emprestado. Estou nervosa. *Isto é mais adequado*. Não venho a esse bar desde a primeira vez em que encontrei Artie, mas é exatamente como eu lembrava: irlandês e com cara de bar. Lembro como me senti naquela noite, tantos anos atrás, observando Artie aqui, enquanto ele contava a história do coelhinho naquele bairro de subúrbio e, mais tarde, como me senti apenas por estar ao lado dele. Ele veio a este mundo tão cheio de energia.

John nos traz uma rodada de bebidas. Rose ganha um Shirley Temple com uma cereja flutuando. Ela toma um gole e diz:

— As bolhas estão no meu nariz! — esfregando as bochechas.

Não sei por que, mas tudo me toca muito fundo agora. Rose com as bolhas no nariz parece ser um grande comentário sobre a vida, algo otimista, comovente e simples.

— Como se começa um velório? — pergunto a John.

— Não sei — responde. — Acho que alguém começa a falar.

Olho para minha mãe.

— O quê? — pergunta ela.

— Você sempre tem algo a dizer — digo. — Por que você não começa?

— Falar sobre Artie? — ela quer saber. — Algo *bom*?

— Algo *verdadeiro* — responde Eleanor.

— Qualquer coisa — digo. — Só para começar.

Minha mãe se levanta, vai até o meio do bar e então assobia como um estivador. Ela levanta as mãos e todos se viram para observar.

— Isso é um velório. Preciso dizer que, via de regra, sou contra esse tipo de demonstração honesta de emoção. Prefiro um funeral comum. Mas me pediram para começar esse velório com algumas palavras sobre nosso Artie.

Ela sorri para mim como que dizendo "Até aqui tudo bem!".

— Eu aprovo o feminismo, exceto, claro, quando ele me diz para não usar sutiã. Minha pergunta para todos vocês é: por que nós o amávamos? Um tipo como ele vai continuar existindo? Será ele o tipo de animal teimoso e adorável que vai desaparecer em nossa sociedade atual? Será que a próxima geração vai aguentar tanta bobagem da espécie masculina?

Ela faz uma pausa como se realmente estivesse esperando uma resposta, mas de quem? De Rose? Ela é a próxima geração? Depois da curta pausa, minha mãe continua.

— Não sei se realmente importa. Amamos quem amamos, mesmo quando o odiamos. O coração faz o que quer. E todos nós amamos Artie, cada um a seu modo.

A verdade é que Artie teria amado esse discurso. É cheio dos ditados que minha mãe nunca bordou em um travesseiro — pérolas atrás de pérolas.

Quando dou por mim estou chorando de um jeito que me parece totalmente novo. John levanta o copo.

— Ao Artie! — grita.

E todos levantam seus copos, e é assim que começa. As queridinhas contam histórias sobre Artie — uma, sobre uma festa de aniversário de cachorro em que apareceu usando um chapeuzinho pontudo com borda de pelúcia (Artie odiaria uma festa de aniversário de cachorro); outra sobre ele mergulhando nu numa piscina comunitária à noite; e uma — Eleanor — sobre quando, pela primeira vez em sua vida, ela dançou, e foi com ele. Estou surpresa por ela contar essa história, mas sei que para ela é mais importante contar do que alguém ouvir. E talvez seja assim com velórios — todo mundo traz suas histórias e dá vazão a elas.

John se levanta e diz:

— Artie Shoreman se tornou meu pai em seu leito de morte. Mas ninguém nunca esteve mais vivo, mesmo morrendo.

Ele parece lindo, engasgado, mas sorrindo. Seus olhos estão cheios de lágrimas, mas ele não chora.

— Eu o amei de todo coração.

Elspa reaparece enquanto uma das queridinhas está falando sobre quando Artie fingia que sabia tocar piano e ficava batendo nas teclas, fora do tom, e dizia ter uma profunda admiração por um novo compositor chamado Bleckstein. Ela me entrega uma caixa de papelão alta na qual ainda estão coladas as etiquetas do correio.

— O que é isto? — sussurro.

Agora já bebi algumas rodadas. Minhas bochechas estão vermelhas e doídas de tanto rir. Estou meio bêbada.

— Abra — diz ela.

O objeto dentro está coberto com jornal. Remexo um pouco e retiro um objeto azul estranho. É uma escultura — redonda na base e depois massuda, cilíndrica, entortando no topo. Levo um minuto para entender.

— É Artie — diz ela. — Parte dele. Você disse uma vez que queria vê-la. Tive que dar uns telefonemas para rastreá-la e pedir que enviassem para mim.

Começo a rir. A escultura do pênis de Artie. Aqui está.

— É abstrato — comento. — Mas acho que você capturou algo de Artie aqui. Alguma essência.

E essa palavra, *essência*, me parece mais engraçada ainda que a escultura.

Elspa começa a rir também.

— Alguma essência, é verdade.

Eleanor, minha mãe e John, todos eles olham.

— O que é isso? — perguntam.

Seguro a escultura para que possam ver — levanto-a como um Oscar.

— Artie — digo. — É Artie, abstrato. Acho que é o melhor retrato dele.

Dou um forte abraço em Elspa. Percorremos um longo caminho juntas, e essa escultura parece representar o quanto.

Rose segura seu desenho:

— Olha, olha! — grita ela.

Elspa o toma nas mãos e pergunta:

— Isto é abstrato também?

Olho para meu próprio desenho. Ali estão meus traços simples retratando Eslpa, Rose, minha mãe e Eleanor. Desenhei Artie em seu uniforme de mensageiro novamente — como John o havia desenhado na toalha de papel do restaurante — com ombreiras e uma mala. Desenhei John e eu.

Ele está escutando a mulher no meio do bar, que parece meio bêbada também — talvez todos nós estejamos um pouco embriagados agora. Ela fala meio mole algo sobre Artie e que velórios são para os vivos, na verdade. Dobro meu desenho no meio, dobro novamente e o guardo no bolso.

Olho para John. Ele percebe e se vira para me olhar. Puxo minha cadeira para perto da dele e digo apenas:

— Oi.

E coloco minha mão na dele, que é quente e macia.

Ele sorri e aperta minha mão.

— Oi — responde ele.

Isso parece um começo e não um fim. Eu sei que vou lhe entregar o desenho algum dia no futuro, uma nova versão do que o futuro pode ser. Olho em volta da mesa, para John, para minha mãe, Eleanor, Elspa e Rose. E me parecem uma família.

Não sei o que vou dizer quando chegar minha vez. Tenho tantas histórias para contar, mas não sei se realmente importa qual escolherei, no final das contas. Cada um de nós diz o que tem a dizer, e vamos passar essa longa tarde chorando e rindo ao mesmo tempo, tanto que não vou mais saber dizer qual é a forma mais verdadeira da dor.

fim

Agradecimentos

Desejo agradecer a muitas pessoas que me ajudaram a atravessar o lamaçal. Justin Manask, obrigada por me socorrer com as pás do desfibrilador, dando nova vida ao trabalho. Frank Giampietro — minha gratidão, há muito tempo de vida. Amo sua profunda compreensão da alma feminina e estou em dívida com você (uma grande dívida). Nat Sobel — que gênio você é! Obrigada pelo estímulo e pelos conselhos, sensatos como sempre. Swanna, meus agradecimentos pelo esforço incansável dedicado a este livro. Obrigada, Caitlin Alexander, por seu olhar competente e supervisão cuidadosa dos personagens. Meu muito obrigada à Florida State University. Avante Noles! Como não poderia deixar de ser, agradeço também a meus pais e aos meus fiéis escudeiros — minha doce e brilhante equipe. E, Dave, meu ajudante-de-ordem, a quem eu agradeço por tudo que consegui e por tudo o que aprendi.

Sobre a autora

Bridget Asher vive na Flórida com o marido, um homem amável, doce e sincero — e que nunca deu a ela razões para perguntar sobre suas antigas queridinhas.